KB182813

신 / 비 / 로 / 운 / 물

자 화 6각 수

강 병 주 / 편저
(가정의학과 전문의)

서 음 미 디 어

머 리 말

어느덧 2개월이 지났다. 물이 뭐길래 진료에 바쁜 나로 하여금 이렇게 글을 쓰게 만들었는가 싶다. 물이 모든 생명의 근원임을 누가 부인하겠는가?

현직 의사인 내가 물에 대한 무관심을 벗어 던지고 물 중의 물인 '자화수(磁化水)'로 많은 환자를 치료했을 때 나의 기쁨은 뭐라 표현할 수 없었다.

더구나 '자화수'는 물을 자기처리(磁氣處理)하는 원리를 응용했으므로 의학적인 타당성은 충분하다.

최근의 낙동강 오염사태에서 보았듯이 환경의 소중함과 물의 고마움을 진작 깨달았다면 이같은 물 오염을 사전에 예방할 수 있었으리라.

요즘같이 바쁜 시대에 천연 '자화수'인 심산유곡의 깨끗한 물을 늘 마시기는 불가능하지만 이 책에서 설명하는 '자화수'는 첨단과학을 응용한 '자화수기'를 간단히 설치만 하면 모든 가정이나 직장에서 손쉽게 마실 수 있고, 동시에 건강을 향상시킬 수 있으므로 의학을 전공한 나로서 국민 모두에게 자신있게 추천할 수 있다.

평소부터 자기(磁氣) 치료에 관심을 가져 왔고, 물에 '자기'를 응용하면 틀림없이 놀라운 의학적 효과를 보리라 예상했지만 환자들의 협조를 얻어 각 질병별로 '자화수'를 마시게 했을 때 그렇게 빨리 경이적인 결과가 나올 줄 몰랐다.

한 예를 들면 30년간 악성변비 때문에 약물치료와 알로에 복용, 심지어는 대장을 세척하는 요법에도 효과가 없는 66세 할머니에게 '자화수'를 마시게 한 결과, 마신 그 다음 날부터 호전되는 증상이 나타났다. 사실 이 할머니는 1주일에 한번 정도 대변을 보았는데 그것도 완화제를 써야만 해결되었던 분이었다.

물 중의 물 '자화수!'

현재 시중에 범람하고 있는 정수기로 만들어지는 물이나 시판 중인 생수와는 비교할 수 없을 정도로 의학적 치료 효과가 탁월하고 안전한 물이기 때문에 나는 '자화수'를 자신있게 최고의 건강수라고 주장하는 것이다.

이 책에서 설명한 질병 이외에도 효과를 본 질환이 많이 있으나 지면 관계상 다음 기회에 기술하기로 한다.

6각수 이론을 필자에게 상세하게 코멘트 해주신 한국과학기술원 전무식(全武植) 교수님과 이 책을 펼쳐 내 주신 서음미디어 사장님께 감사드리며 이 책이 아무쪼록 질병으로 고통받는 환자들을 비롯하여 모든 국민에게 '생명의 빛'이 되기를 바란다.

저 자

차 례

차 례

제 1 장
물은 생명의 근원

물과 생명체

물의 기원

전 세계에서 가장 많이 보는 책이 성서(聖書)인데, 구약편 창세기 1장에 물의 기원에 관한 말씀이 다음과 같이 기록되어 있다.

'태초에 하느님께서 하늘과 땅을 창조하셨다. 땅은 아직 모양을 갖추지 않고 아무것도 생기지 않았는데, 깊은 어둠만이 물위에 뒤덮여 있었고, 그 물위에 하나님의 기운이 운행되고 있었다.'

인간을 포함한 모든 유기체들이 살아가기 위해서는 공기, 물, 햇빛이 있어야 하는데, 어떤 경우 공기나 햇빛이 없어도 살 수 있으나 물이 없이는 어떤 생물도 살기가 어렵다.

이 지구상에 존재하는 어떤 유기체도 물 없이 못산다는 사실은, 아마도 이 우주를 창조하신 조물주의 영향권 밖으로 유기체는 벗어날 수 없다는 얘기가 될 것이다.

공기와 물은 참으로 흔하다. 그러나 아무리 흔하다고 하더라도 우리 인간의 경우 물이나 공기없이, 나아가서 태양광선없이 지속적으로 생명을 유지할 수 있겠는가?

하찮은 미생물을 비롯해서 식물• 동물, 나아가서 인간도 그 조직을 이루는데 있어서 물이 그야말로 필수적인 요소로 작용한다는 것은 두말할 나위도 없다.

고대 이집트를 비롯한 소위 4대 문명권의 경우도 모두 물이 풍부한 강 부근에서 문명이 발달했는데, 잘 아는 바와 같이 이집트의 경우 나일강, 중국의 경우 황하, 메소포타미아는 티그리스강과 유프라테스강, 인도는 인더스강 등이었다.

물이 풍부한 까닭에 생존하려는 인간들이 모여들었고 그들의 지혜가 어우러져 찬란한 문명의 꽃을 피웠던 것이다.

우리 인간들은 자연환경 속에서 늘 생활하지만 물이나 공기 등이 어떻게 생겨났으며 우리들에게 어떤 모습으로 다가왔는지 한번쯤 생각해 봤는가?

물을 얻기 위해서는 비나 눈이 내려야 하고 거기에서 수증기가 증발하여 또 다시 구름으로 형성되는 자연현상은 너무나 신비롭고 경이스러울 뿐이다.

나는 가끔 맑은 계곡물이나 한려수도의 청정해역을 볼 때마다 창조주께 절로 머리가 숙여지고 참으로 '감사합니다'라는 마음이 우러나온다.

우리가 일상생활에서 산업사회의 풍요함을 맛보며 살면서도 그 풍요로움의 원천이 바로 물에서 비롯된 사실을 까맣게 잊고 사는 게 대부분이다. 가정이나 직장에서, 또는 야외에 그토록 물이 흔하고, 수도꼭지에서 물이 넘쳐흘러도 자기와 관계가 없으면 그냥 지나쳐 버리는 우리들의 무감각한 태도, 또한 사람이 가는 곳이면 으

례히 물이 있겠지 라고 생각하는 타성과 교만 등을 볼때, 우리 독자들은 어떻게 생각하고 계시는지…….

생명체의 기원

어떤 과학자들은 생명체를 물리, 화학적으로만 분석하여 탄소·수소·산소·질소 등으로 구성된 것으로만 보고, 이것들이 지구 생성과정에서 생긴 일종의 부산물로 생각하는 경향이 있다.

공산주의를 신봉하던 유물론자들이 가장 극성스럽게 이러한 논리를 주장해 왔다. 그런데 오늘날 유물론자들의 종말은 어떠한가? 인간은 단순한 유기물질이 아니다.

다른 생물체와는 달리 조물주가 영혼을 불어넣은 만물의 영장이다. 그래서 생각하고 웃기도 하고 울기도 하며, 물질을 나눠 가질 줄도 아는 고등동물이며, 이성과 감정의 복합체라고 볼 수 있다.

인간을 비롯한 모든 우주의 생명체들은 매우 거대한 힘에 의해 창조되었고, 지금도 우주의 섭리에 따라 흘러가고 있을 뿐이다.

생명체가 생명을 유지하기 위해 필요로 하는 물질들은 이 우주 여기저기에 얼마나 깔려 있을까? 그런데, 그 중에서도 '물'이란 물질은 생명체에게 있어서 가장 필수적인 것이다. 어쨌든 물과 생명체와는 떨어질래야 떨어질 수 없는 숙명적인 관계인 것만은 틀림없다.

의학적으로 볼 때도 태아는 모체의 자궁 안에서 자라고 보호받고 있는데 이것이 바로 양막에 둘러싸인 양수(羊水)라는 것이다. 이 양수는 약간의 미네랄이 섞인 물이지만, 하나의 귀한 생명이 태어나기 위해서는 이와같이 신비스러울 정도로 물의 혜택을 입고 있는 것이다.

그러기에 생명체가 태동하는 근원에는 반드시 '물'의 작용으로 활동하게 된다는 사실을 우리는 인식하여야 된다. 물이야말로 우리의 젖줄인 것이다.

물은 인체에 왜 필요한가?

물과 인체생리

만약 여러분이 지금 태양이 이글거리는 사막을 걷고 있다고 생각해 보라. 또는 물 한방울도 얻기 힘든 산악지대를 등산하고 있다거나, 마라톤 경기를 하면서 가슴이 콱콱 막히는 경우를 연상해보라. 얼마나 갈증이 나며 죽을 지경일까? 만약 그때 누가 시원한 물 한잔을 갖다 준다든가, 갑자기 하늘에서 비가 온다든지 하면 얼마나 좋아서 기뻐 날뛰겠는가?

물은 인체의 필수적인 구성 성분이므로 물이 인체 밖으로 배출되면 인체는 당연히 배출된 만큼의 물을 필요로 하는 것이다.

우리 인체는 체중의 65～75%까지 물로 구성되어 있는데 세포내액과 세포외액으로 분리할 수 있다.

세포외액(혈장액과 간질액 포함)은 체중의 20～25%, 세포내액은 30～40%이다. [표1 참조]

만삭아의 경우 체중의 75%를 차지하고 있는데 생후 1년 동안에 급격히 감소되어 약 60～65%가 되며, 그 후에도 서서히 떨어져 성인 남자인 경우 체중의 60%, 성인 여자의 경우 55% 가량된다.

인체 중요 장기의 함수량을 보면 근육의 70~75%, 골격의 20~25%, 피부의 65~70%, 간장의 65~70%를 구성하고 있다.

사람이 다른 영양소를 전혀 섭취하지 않고 물만 먹어도 1개월은 살 수 있지만, 물마저 끊으면 1주일 정도에서 죽는다. 만약 인체가 5~10%의 물을 잃게 되면 탈수현상 때문에 산기(酸基)와 염기(鹽氣)의 평형장애가 초래되어 대사성(代謝性) 산증이나 대사성 알카리증에 빠지게 되며, 15% 이상의 물을 잃으면 생명이 위험해진다.

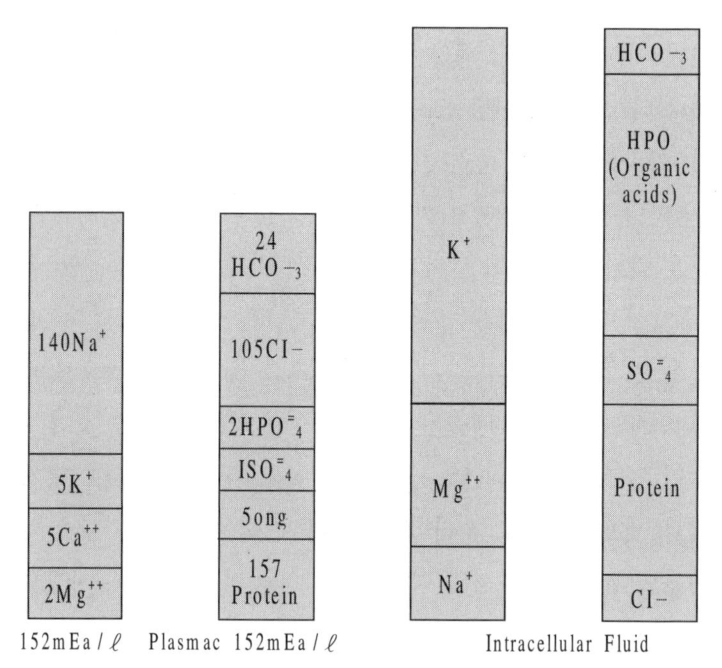

혈장, 간장액, 세포내액의 성분비교(소아과학 p103)

			평균(mℓ)	최저(mℓ)	최고(mℓ)
수분 공급	감지	액체	1,500 (800～1,500)	0	1,500/hr
		고체음식	700 (500～700)	0	1,500
	불응	산화수분	300	125	800
		용액수분	0	0	500
합 계			2,500		
수분 손실	감지	뇨	1,500 (800～1,500)	400	1,400/hr
		대변	100 (0～250)	0	2,500/hr
		발한	0	0	4,000/hr
	불감 : 피부 및 폐		900 (600～900)	600	1,500
합 계			2,500		

정상 성인의 1일 수분대사

일상생활을 하는 성인을 기준으로 할 때 하루에 섭취하는 물의 분량은 음식으로 1,200mℓ, 음용수로 1,000mℓ, 그리고 체내 대사과정에서 생기는 300mℓ를 합치면 약 2,500mℓ 정도가 된다. 배설량도 거의 동일하게 2,500mℓ 정도인데, 소변으로 1,500mℓ, 대변으로 100mℓ, 불감수분 손실로 900mℓ 정도로 추정된다.

물의 중요한 역할

물은 혈액의 83%를 차지할 정도로 중요하다. 물이 부족하면 인체의 피부가 건조해지고 탄력성을 잃는다. 또한 심한 구토나 설사로 탈수증에 빠지면 자칫 생명도 위태로워진다.

물은 신체의 세포나 조직의 저항력을 증가시키므로 우리가 흔히 걸리는 감기나 폐렴, 천식, 심한 발열성 질환의 치료에 큰 도움을 주기도 한다.

또한 자기 처리된 물[일명 자화수라고 한다]이 인체의 혈액 중에 있는 적혈구 숫자를 증가시켜 준다는 임상보고도 있다. 그 뿐만이 아니다.

소화액을 비롯한 체액, 림프액, 혈액 등의 성분을 활성화 시킨다는 흥미로운 이론도 제기되고 있어서 계속 연구해 볼 가치가 있다고 하겠다. 그리고 물은 섭취된 음식물을 녹이고 희석시켜 액화된 상태로 소화 흡수가 쉽게 되도록 해 준다.

덧붙여 이야기 한다면 각종 영양분을 필요한 조직에 운반하고, 노폐물을 배출시키며 체온을 조절하는 기능을 담당한다.

참고적으로 우리 몸에서 제일 중요한 기능을 담당하는 뇌세포만 보더라도 약 73% 정도가 물이라고 하니 놀라지 않을 수 없다. 그 이유는 뇌세포가 회백질과 수질로 구성되어 있는데, 여러가지 신경 전달물질이 물이 없이는 제 기능을 원활하게 발휘할 수가 없기 때문이다.

금수강산과 물

우리 샘물에 얽힌 이야기

제주도로 여행을 가신 분들이라면 남제주군 안덕면에 위치한 산방굴사를 모르는 사람은 없을 것이다. 산방산의 남서쪽에 있는 이 산방굴사는 제주 10경(景)의 하나로 꼽히는데 해가 뜰 무렵에 보이는 황금빛 햇살은 가히 일품이다.

산방굴사에는 땅에서 솟는 샘이 아니라 독특하게 천장서 물이 똑똑 떨어지는 일종의 '천장샘'으로 무척 재미있게 자리 잡고 있다. 이 천장샘에 얽힌 전설 한토막이 유명하다.

옛날에 '산방덕'이란 여신이 있었는데 하루는 산방굴에서 인간의 모습으로 나타나 '고승'이라는 마음씨 좋은 농사꾼과 결혼하여 오손 도손 잘 살고 있었다. 그런데 어느 날 산방덕의 아름다운 모습에 반한 그 지방 관리가 산방덕의 남편을 섬 밖으로 쫓아 보내고 산방덕을 유혹하여 아내로 만들려고 했지만, 산방덕은 이내 산방산으로 변해버렸고, 남편과의 헤어짐을 애틋하게 생각하면서 늘 눈물을 흘리곤 했는데 바로 그 눈물이 산방굴의 천장샘에서 떨어지는 물이 되었다고 한다.

'한산모시'로 유명한 충남 서천군 한산면에 건지산이라고 하는 조그만 뫼가 있다. 이 건지산의 골짜기에서 흐르는 물로 '술중의 술'이라는 '소곡주'를 담그는데 한산 소곡주의 유래는 이러하다. 삼국시대에 나·당연합군에 의해 백제의 수도 사비성이 함락된 후 백제 유민들이 주류성에서 최후의 저항을 하며 나라 잃은 슬픔과 울분을 달래려고 만들어 마셨다고 전해진다. 소곡주의 3대 요소라고 할 색깔과 향 그리고 맛을 좌우하는 것은 역시 건지산 골짜기 물이라고 한다.

한려수도 뱃길 따라 상큼한 갯내음이 코밑을 스쳐갈 때 푸르디푸르고 잔잔한 호수를 연상케 하는 청정해역이 '어서 오라'고 유혹한다.

옛날 이순신 장군의 포효가 들리는 듯한 이곳 경남 통영군 사량면 고올개 마을. 바로 여기에 마치 바다 해적들을 경계하듯이 우뚝 솟은 칠현봉이 있는데 이 산 아래에 기묘하게 오목이 파여 여름이면 이가 시리듯 차갑고, 겨울에는 따끈한 감주같은 맛이 나는 샘물을 보고 그냥 지나칠 사람이 어디 있을까?

옛날 악성 피부병으로 고생한 사람이 낫기 위하여 전국 방방곡곡을 돌아다녔지만 병의 증상이 더욱 나빠졌는데 이곳 칠현봉의 약수를 마신 후 깨끗이 나았다고 해서 '약리물샘'이라고 부르게 되었다고 한다.

결혼을 한 여자라면 아이를 한번쯤 출산하여 재미있게 키워보고 싶어 할 것이다. 특히 옛날 유교사상이 우리네 삶을 절대적으로 지배하던 때에는 애를 못 낳으면 칠거지악의 하나라 하여 보따리를 싼채 쫓겨나던 적이 있었다.

그런데 우리나라에서 쌍둥이 마을로 인정되어 기네스북에 올라 있는 신기한 동네가 있다. 전남 여천군 소라면 중촌마을 하면 쌍둥이 많기로 소문난 곳이다. 약 13년 전, 이 사실에 관해 흥미를 가진 가톨릭의대 연구진이 현지를 방문하고 역학조사를 벌인 바가 있으나 뚜렷한 의학적 근거를 밝혀내지 못했다고 한다.

사실 의학이 대단한 것 같지만 알고 보면 별것이 아닌 것이다. 현대과학이 겨우 밝혀 놓은 것은 저 넓은 사막의 모래 한줌쯤이라고나 할까? 하여튼 과학을 한답시고 오만불손하다가는 저 넓고 높은 대우주의 섭리에 여지없이 코가 납작해지고 만다. 마을 사람들은 쌍봉산에서 오는 정기를 받아 쌍둥이를 잉태하는 거라고 거의 신앙에 가까울 정도의 믿음을 가지고 있다.

아이를 못 낳아서 마음 고생이 심한 외지인들이 이 마을 뒤에 있는 국사봉 중턱의 샘물인 유천(乳泉) 주위에서 촛불을 켜놓고 기도하는 모습을 볼 수 있는데 '지성이면 감천'이라고 좋은 결과가 오지 않을까 기대해 본다.

충절의 고향인 진주(晋州)와 오랜동안 인연을 맺고 있는 필자는 충의(忠義)와 정절(貞節)의 상징인 '논개'와 관련있는 곳이면 어디든지 관심을 가져 왔다.

논개의 고향인 장수에는 임진왜란 당시 떨친 논개의 의기(義氣)를 기리기 위하여 논개사당이 우뚝 세워져 있다.

이 논개사당 주변에는 와룡 자연휴양림이 있어 여름철이면 무더위를 식혀 주는데 이곳에 있는 '각시샘'에 얽힌 한 가지 전설이 찾는 이들을 숙연하게 한다.

옛날 이곳에 살던 화전민 출신 각시 한 사람이 가마타고 시집가는 길에 하도 목이 말라 물이 어디 없는가 싶어 주변을 살피던 중 드디어 이 샘을 발견하여 물을 마시게 되었다. 그런데 이 샘이 너무나 맑아 자꾸만 자기의 얼굴이 비치게 되자 평소에 몰랐던 자기의 얼굴이 너무나 아름다워 더욱 자세히 보기 위해 물 가까이 다가가자 그만 빠져서 죽고 말았다고 후세 사람들에게 전해지고 있다.

오늘도 변함없는 각시샘은 논개의 향기만큼 상큼한 물맛을 우리에게 선사해 준다.

우리나라의 물 오염

수돗물 파동

언제까지 우리는 이 지긋지긋한 수돗물 파동을 겪어야 할까? 1991년 3월의 낙동강 페놀 방류사건이 아직도 머리에 생생한데, 1994년 정초부터 낙동강 하류지역에 사는 부산, 경남 주민들이 발암물질인 벤젠과 중독성 물질인 톨루엔이 함유된 물을 마시고 분노를 터뜨렸다.

청와대에서는 자체 개발한 지하수를 마시고 있고, 부유층과 재벌들도 시판 허용이 금지된 오염된 생수를 즐겨 마셔왔다고 매스컴은 전한다.

힘없고 돈 없는 국민들만 오염된 수돗물을 마시게 해놓고 이 나라의 고위 당국자들은 근본적인 정책을 외면하고 있으니 환경 행정은 '소 잃고 외양간 고치기'식 밖에 될 수 없었다.

이제는 전국 4대강의 BOD나 COD가 어느 수순이라고 따질 때가 지났다. 벌써 2, 3급수로 전락한지 오래인데 국민들에게 BOD나 COD의 수치가 기준치를 얼마 초과했다고 발표하는 것이 피부로 얼마나 절실히 느낄 수 있겠는가?

공기나 물을 오염시키면 그게 어디로 가는 줄 아는가?

환경은 돌고 도는 순환계여서 우리가 오염시킨 물은 결국 우리에게 수백배로 아니 수천배의 해악을 선물한다.

정부나 기업 그리고 국민들의 환경에 대한 총체적인 의식마비, 바로 이것이야말로 계속 되풀이 되는 수돗물 파동의 주범인 것이다.

1994년 감사원의 감사과정에서 폭로된 바, 팔당수계의 하수처리장 39개를 부실운영 했거나 전문환경 감시요원을 배치시키지 않고 영양사, 조리사 등을 채용했다는 사실은 당시 환경처 장관인 황산성씨가 얼마나 심한 직무유기를 했는지 짐작이 간다.

현재 전 국민의 7% 정도만이 수돗물을 그대로 먹는다는데 어찌 이 지경이 됐을까? '우리나라 금수강산 이다지도 좋을시고'라고 흥겨워 노래 부르던 때가 바로 엊그제 같은데 말이다.

독일의 경우는 상수원을 지하수로 사용하며, 심지어 프랑스 같은 나라에서는 빗물을 받아 상수원으로 한단다. 미국 같은 선진국에서는 오염되지 않은 호수와 강을 상수원으로 활용하고 있으며, 기존의 염소 소독 대신 오존 소독으로 바꾸려고 한다. 일본도 얼마나 상수원 상황이 좋은가? 약 80%가 1급수라고 하니 부러울 뿐이다. 동경에서는 염소 소독을 점차 오존 소독으로 대체시킨다는 계획을 갖고 있다.

우리가 먹어야 할 물이고 후손에게 물려줄 물이다. 청와대 사람들부터 당장 지하수를 폐쇄하고 수돗물을 먹도록 해야 할 것이다. 윗물이 맑아야 아랫물이 맑다고 하지 않는가? 전국의 지하수가 온통 중금속이나 세균으로 오염되는 이 마당에 우리의 젖줄인 상수원을 포기하고 어쩌자는 것인가?

우리나라의 철철 넘치는 옥수(玉水)를 이 모양으로 오염되도록 방치하고 그 임시방편으로 소위 상업생수라는 오염 투성이의 물을 국민들이 비싼 돈 내고 사먹도록 해서는 절대로 아니 될 일이다.

이제 우리 스스로가 상수원을 지켜 나감으로써 좋은 물을 마셔야 건강해진다. 그리고 쓸데없이 물을 사먹는데 돈을 낭비하지 않아야 개인적으로나 국가적으로 큰 이익이 된다.

시판 생수의 몰염치

우리나라에서 소위 생수란 것이 개발되기 시작한 시기는 1969년으로, 주한미군과 그 가족들에게 물을 공급하기 위함이었다. 그러나 수돗물이 오염되면서 부터 일부 계층의 국민들이 생수를 찾기 시작했다. 분명히 외국에만 수출하도록 전제를 달고 제조허가를 내주었음에도 불구하고 허가받은 제조업체는 단속 법규가 허술함을 악용하여 당국에 적발될 때마다 벌금만 내고 넘어갔으며, 보사 당국은 허가 업체들이 수차례 위반하여 벌써 허가취소를 내려야 함에도 불구하고 그대로 방치해 둔 것은 무슨 유착관계가 있지 않았을까 하는 의혹만 증폭하게 한다.

이들 유·무허가 생수 제조업체들은 '천연의 살아있는 물'이라는 미명하에 일반세균, 대장균 등이 허용기준치를 초과해 우글우글 거리는 오염된 물을 수용가에 공급해 왔는데 최근의 낙동강 오염사태가 발생하자 '이때가 사업의 호기다'라고 생각하고, 공포에 시달린 부산, 경남지방 주민들의 불안한 심리를 역이용하여 이 지역에 대대적으로 오염된 생수를 판매해 왔다고 한다. 하지만 법규에 의거해 당연히 단속해야 할 당국은 마치 '벙어리 냉가슴 앓듯이' 자기들의 무능함만을 탓하고 있었다.

법령에 보면 '생수의 취수원은 반경 200m 이내에 목장, 집단 거주지, 공장, 전답, 하천 등 수질에 영향을 미칠 수 있는 오염원이 없어야 한다'고 분명히 명시되어 있지만 현실은 어떠한가?

취수원 바로 주위에 공장이 있지를 않나, 대단위 아파트가 있지 않나, 축산 폐수를 배출하는 목장이 있는 등, 실태가 이러한 데도 당국은 팔짱만 끼고 있으니 당장 폐쇄시키지 않는 이유는 과연 무엇일까?

이들 파렴치한 생수업체들은 원수 정제시설도 제대로 갖추지 않고 있을 뿐만 아니라, 18ℓ 플라스틱 통을 하이타이 같은 세척제로 씻어 물을 공급한다고 하니 생각만 해도 끔찍하다. 또한 그 더러운 물통 속에 물을 며칠씩 담아두었는지도 대체 알 길이 없다.

현재도 소위 시판생수를 사먹고 있는 가정에서는 이 물통을 1주일에 1~4통 저장하고 있는데 업자의 양심불량(?)으로 봐서 언제 물을 채취했는지 알 수 있을까?

만약, 이러한 오염된 생수를 냉장고에 1주일 정도 보관하면 망간, 철분 등이 산화되어 인체에 해독을 끼칠 것은 분명하다. 결국 이런 시판생수는 세균배양기 같은 역할을 하고, 중금속 등으로 오염되어 수돗물보다 훨씬 나쁜 물이 될 수 밖에 없다.

지하수, 약수의 오염

건강을 위해 새벽에 일어나 베드민턴채를 들고 한 게임하고 나서 약수터의 물을 마시는 도시인들이 많은데 지금 대도시, 중소도시, 농촌 할것 없이 지하수와 약수의 오염실태는 정말 심각하다. 막연히 건강에 좋으리라는 생각만으로 마시는 약수나 지하수가 트리클로로에틸렌이나 테트라클로로에틸렌 등의 유기화합물이나 망간, 크롬, 청산가리 등의 중금속 등으로 오염됐다는 사실을 어찌 남의 일 같이 생각하는가?

혹시나 내가 또는 내 가족이나 내 바로 이웃사람들이 떠 마시는 약수나 지하수는 괜찮을 거라고 애써 자위해서도 안된다.

전국에 내리는 산성비나 산성 눈 또는 중금속에 오염된 물이 시간이 흐를수록 점차 깊이 땅속에 침투되어 마지막에는 우리 입에 들어온다. 일전에 서울의 도봉산, 수락산, 불암산, 관악산 등에 서

식하는 야생 들쥐나 가축 등의 배설물에 오염된 약수에서 '가결핵성 여시니아'라는 세균이 검출되었는데, 이 세균은 특히 어린이들에게 감염되어 복통, 고열을 일으키고, 심하면 신장질환 등의 후유증을 유발한다.

아직도 규명되지 않은 세균들이 많이 있을 것으로 생각되므로 차라리 수돗물을 안전하게 마시는 방법을 터득하여 식수로 사용하는 것이 오히려 덜 불안하고 현명할 것이라고 생각한다.

정수기의 상혼

의학적인 관점에서 볼때, 현재 시중에서 판매하고 있는 모든 정수기는 인체에 도움을 주지 못하고 있는 실정이다.

정수기가 이렇게 범람하고 있는데, 이에 대한 1차적인 책임은 보사부와 환경처가 져야 된다.

역삼투압식이다, 증류수식이다, 이온수기식이다 등으로 분류되는 현재의 정수기들은, 모두 창고에 들어가야 마땅할 정도로 의학적으로 인체에 유익한 미네랄을 몽땅 없애버렸거나 농약이나 중금속도 제대로 정수를 하지 못하고 있다. 심지어 이온수기식 같은 정수기는 원래 의학적 용도로만 사용해야 하는데 일반인들에게 보급되어 있으니 정말 한심한 일이다.

정수기 업자들은 수돗물 파동 때마다 호기를 만난듯이 신문광고를 내어 활개를 치고 있는데 오염된 시판 생수와 마찬가지로 세균 배양기 역할을 톡톡히 하고 있다.

정수기를 구입하여 사용하시는 분들에게 하는 이야기인데, '고인 물은 반드시 썩는다'라는 옛 속담을 명심했으면 좋겠다. 무릇 좋은 건강수를 마실려면 즉시 솟아나는 살아있는 물을 확보할 수 있어야 한다. 물의 생명은 24시간 정도이니까 가능한한 신선한 물을 마셔야 보약 이상의 효과를 거둘 수 있다.

지금 전국에서 정수기를 활용하고 있는 분들이 정수기에 대하여 강한 불신을 가지고 있다는 것은 분명하다.

필자가 의사로서 병원에 오시는 분들께 물어보면 10명 중 9명은 정수기를 사용하지 않고 인근 지리산에서 떠온 약수를 마신다고 한다.

국민의 건강증진에 기여해야 할 의학계가 정수기의 해악성에 대하여 전혀 해명하지 않았고, 인체에 어떤 나쁜 영향을 미치는지를 연구, 보고하지 않아 각종 정수기들이 범람하였기에 의학계의 한 사람으로서 국민 여러분들에게 죄송함을 금할 길이 없다.

환경교육의 절박성

오늘날처럼 환경교육의 중요성이 역사적으로 강조되는 일은 일찌기 없었을 것이다. 벌써 수돗물 파동을 겪은지 세번째나 되는데, 문제가 발생한 그 당시의 이 나라 대통령들은 한결같이 상수원을 보호하여 국민들에게 안전한 수돗물을 공급하겠다고 큰소리쳐 왔다. 하지만 그들의 큰소리는 결국 공염불에 불과했으므로 이제 우리 국민들이 두 눈 부릅뜨고 환경감시 운동에 나서지 않으면 안된다. 그만큼 긴박한 상황이다.

깨끗한 공기와 물 없이 어찌 우리가 건강하게 행복한 삶을 누릴 수 있단 말인가?

1994년 1월 초에 발생한 전대미문의 낙동강 식수 오염사태는 세계화, 국제화를 외치는 이 시점에서 발생하였기 때문에 국제화라는 구호는 한낱 허구에 불과했음을 입증했고, 우리의 환경행정의 현주소가 어디인지를 적나라하게 보여 주었다.

이번 물 오염 사건은 우리 모두에게 책임이 있다. 즉 정부, 기업, 사회, 가정 모두가 상수원 오염의 공범자였고, 동시에 피해자이기도 했다. 이제는 우루과이 라운드보다 더욱 거대한 무역장벽인 그린 라운드가 거세게 밀어닥칠 조짐이다.

그린 라운드를 간단하게 설명하면, 지구환경을 해치면서 생산된 제품 등에는 국가가 보조금을 준 것과 똑같이 취급하여 무역보복 조치를 취하겠다는 일종의 무역장벽인 셈이다.

전 국민은 그린 라운드라는 무역장벽을 고려할 때, 획기적인 환경정책으로의 전환없이 국제경쟁력 강화 운운한다는 것은 또다시 과거의 잘못을 되풀이 하는 것임을 명심해야 할 것이다.

지금은 환경분야에 예산을 집중적으로 투자해야 한다. 그러자면 우선 경제개발보다 환경중시라는 의식의 대전환이 확산되어야 하겠다. 여기에는 당연히 유치원부터 대학까지, 기업・가정・대통령을 비롯한 공무원・정치인에 이르기까지 체계적인 환경교육을 대대적으로 실시하는 것이 포함된다.

환경보전은 경제개발을 포함한 국가활동, 그리고 국가간 활동을 제어하는 아킬레스건임을 빨리 깨달을수록 선진국에 빨리 도달할 수 있으리라 확신한다.

세계적인 장수촌과 물

장수촌의 공통점

세계 3대 장수촌이라 한다면 파키스탄의 훈자, 에콰도르의 빌카밤바, 옛 소련의 코카사스를 들 수 있다. 이외에 일본의 오까하라, 중국의 위글지방에도 장수자들이 많다. 그런데 이들 장수촌의 확연한 공통점을 든다면 첫째, 맑은 공기 둘째, 차갑고 깨끗한 물 셋째, 오염되지 않은 자연 그대로의 음식물(잡곡 · 야채 · 과일) 섭취 등이었다.

앞서 말한 세계 3대 장수촌은 지형적으로 모두 큰 산맥을 끼고 있는데 만년설이 늘 덮여 있어 일년 내내 눈 녹은 찬물이 흘러 이 물을 마시고 산다. 찬물은 생체를 자극하여 효소의 작용이 촉진되고 노화현상이 억제된다고 러시아 과학자들은 주장하고 있다. 이들 장수촌에 사는 사람들은 대체로 부지런히 일하고 충분한 휴식을 취하며 아주 낙천적으로 여유있는 마음으로 산다.

우리나라의 40대 사망률이 세계 1위라는 사실은 누구나 웬만큼 잘 알고 있을 것이다. 특히 대도시 서울이나 부산에 살고 있는 40

대들이 받는 스트레스는 이루 말할 수 없다. 그래서 빨리 시들고 죽을 수 밖에 없는 것이다.

여기서 재미있는 사실 하나를 짚고 넘어가겠는데, 장수촌이나 비장수촌을 막론하고 오래 건강하게 사는 사람들의 대변색깔을 보면 대체로 노랗고 악취가 별로 나지 않는다는 점이다. 그 이유는 위장에서부터 대장에 이르는 동안 이상발효(異狀醱酵)가 일어나지 않기 때문이다. 대개 건강치 못한 사람이나 환자들의 대변은 악취가 풍긴다.

찬 알카리성 물과 장수와의 관계

어떤 술꾼에게 세상에서 어떤 것이 가장 맛이 있더냐고 물어보니 그 사람 왈, 술을 실컷 마시고 뒷날 아침에 마시는 차가운 물 한잔이라고 했다 한다. 과연 차가운 물 한잔은 뇌를 자극시켜 정신을 번쩍 들게 하고 새벽에 일어나 약수물이나 지하수 한잔을 마시고 나면 입부터 시원해져 이내 위장, 소장, 대장 순으로 자극이 전달된다. 옛 소련에서는 얼음과 눈이 녹은 물의 효능에 관한 오랜 연구 끝에 차가운 물은 인체의 세포조직에 작용해 신진대사를 촉진시킴을 입증했다. 그런데 일본의 저명한 학자들은 얼음이나 눈 녹은 물이 단순히 차거운 것뿐만 아니라 알칼리성을 띄고 있기 때문에 그런 물을 마시면 확실히 장수한다고 한다.

건강하게 살려면 좋은 물을 마시자

정상적인 정신상태를 가진 사람이면 누구나 오래 건강하게 살고 싶어 한다. 누구나 잘 알고 있듯이 중국의 진시황도 오래 살고 싶어서 온갖 좋은 약을 모두 구해 먹었지만 결국 천명(天命)을 넘길 수는 없었다. 아마 진시황이 좋은 물이 장수의 비결임을 일찌기 알았더라면 좀더 오래 살지 않았을까 라고 생각한다.

결론적으로 말해서 건강을 유지하고 장수하려면 좋은 물을 수시로 마셔야 한다. 그럼 좋은 물이란 구체적으로 어떤 것인지 알아보자.

학자들간에도 논란이 많다고 하는 것이 사실이지만, 그래도 국민들의 의식이 혼란스럽지 않도록 정확하게 개념을 설명해 주어야 한다. 의사로써 분명히 말하건데, 미각적(味覺的)으로 맛이 있는 물은 건강상 좋은 물이라고 봐도 된다. 건강에 좋은 물은 대개 아래의 조건들을 충족시키고 있다.

첫째, 소량의 미네랄과 탄산가스가 녹아있는 물이 좋다. 탄산가스의 경우 3～30ppm 정도, 미네랄의 경우 100㎎/ℓ 정도 함유하면 물맛이 아주 산뜻하고 인체에 활력소를 제공한다.

둘째, 용존산소가 최소한 5ppm 이상이 되어야 한다. 끓인 물은 용존산소가 거의 없는데 미지근한 물은 오히려 마시려면 역겨움이 일어날 정도이다. 그러니까 맛있는 물을 마시기 위해서는 꼭 차게 하여 마시라는 것이다. 용존산소가 풍부한 상태면 건강에 좋고 피곤한 몸을 재충전시킨다.

셋째, 약알카리성을 띄어야 맛이 좋은데 산성의 물에 비해 물분자들이 매우 균일하고 미세하다. 이렇게 되면 우리의 미각세포에 있는 수용체에 물의 흡수가 용이하게 이루어지게 된다. 따라서 물맛이 좋을 수 밖에 없다.

네째, 년중 수량이나 수질의 변화가 없는 물이 맛도 좋고 또한 건강에 좋다. 아무리 가뭄이 심해도 지속적으로 솟는 샘물은 그야말로 보약보다 훨씬 낫다. 외부에서 스며들거나 오염된 물이 침투하게 되면 이런 물은 지하수이건 지표수이건 반드시 정화시켜 마셔야 안전한데, 지하수의 오염을 정화시키기 위해서는 지표수보다 무척 힘들기 때문에 한번 오염된 지하수나 약수는 수질검사를 통하여 안전하다는 진단이 나오기 전까지는 절대 마셔서는 안된다.

다섯째, 물의 구조가 6각형 고리구조일 때, 제일 맛이 좋다. 뒤에 다시 자세히 설명하겠지만, 생체 활성화를 위해서는 6각형 고리구조가 5각형 고리나 5각형 사슬구조 보다 많아야 체내의 세포나 조직을 더욱 활성화 시켜 질병으로 찌든 몸을 다시 재생시켜 준다.

여섯째, 맛있고 건강한 물을 마시고자 한다면 물이 나오는 그 자리에서 마셔야만 화학적 변화를 예방할 수 있고, 세균 번식의 위험을 배제할 수 있다. 그리고 물을 뜬 뒤, 가급적 24시간 이내에 마셔야 그 물의 생명력을 유지할 수 있다.

일곱번째, 병원 미생물이나 조류(藻類)도 없어야 안전하게 마실 수 있는 음용수가 된다. 보통 수인성 전염병을 일으키는 콜레라, 세균성 이질, 장티푸스균 등은 대개 환자의 배설물을 통해 지하수나 하천이 오염될 때가 많다. 또한 이질 아메바나 기아르디아 같은 균이 우리나라에는 드물지만, 외국의 경우 오염이 많이 된 물에서 순식간에 번식되어 확산되기도 한다. 이들 전염병을 일으키는 균들은 적절한 염소 소독이나 오존 소독을 하면 안심할 정도로 멸균된다.

우리나라의 경우 음용수 수질 기준치로 잔류염소 농도를 0.2ppm 정도로 잡고 있으나 현재 정수장에서는 염소를 10배 내지 50배까지 투입하여 오히려 구역질이 날 정도까지 만들고 있는 실정이다. 이번 낙동강 물오염 사건에서도 알려진 바와 같이, 낙동강 하류에 위치한 정수장에서는 암모니아성 질소를 기준치 이하로 떨군 답시고 얼마나 많은 이산화염소나 액화염소를 부어넣는지 모른다.

결과적으로 암모니아성 질소와 염소가 결합하여 클로라민이라는 물질을 만들었기 때문에 악취가 무척 심했다는 것이다.

또한 호수나 하천에 가축분뇨나 사람의 인분 등이 유입되면 비료성분인 인(P)이 많이 생성되어 부영양화 현상을 초래한다. 이렇게 되면 조류가 대량 발생하여 악취나 색소를 만들기도 한다.

우리가 마시는 수돗물에서 염소냄새가 더욱 심하게 나는 이유중의 하나는 미처 제거되지 못한 박테리아 등의 유기물이 염소와 결합한 상태로 있기 때문이다.

6각수는 생명수(生命水)다

6각수(角水)란?

세계적인 물박사인 전무식(全武植)교수는 한국과학기술원에 재직하시면서 우리가 마시는 물의 화학적 구조를 6각형 고리구조, 5각형 고리구조, 5각형 사슬구조의 세가지로 나눈 바 있는데 이중 6각형 고리구조의 물이 질병을 예방, 치료할 수 있다는 획기적인 '분자론적 물환경론'을 제창하셨다.

전(全)박사에 따르면 인간의 생체분자 주변의 물은 62%가 6각형 고리, 24%가 5각형 고리의 물이고, 기타 다른 모양이 14%를 차지하고 있다. 바로 6각형 고리구조의 물이야말로 정상적인 인체의 세포가 가장 좋아하는 물이라 할 수 있다.

차가운 물이 좋다는 것은 바로 이런 6각형 고리구조가 많이 들어있기 때문이다. 옛 소련의 연구 논문에서도 눈이나 얼음이 녹은 찬물이 건강에 아주 유익하다는 주장을 폈는데 이를 뒷받침해 주고 있다.

6각형 고리의 물은 생체분자에 직접 붙어서 생체분자를 보호한다. 그러기에 생체 내에서 중요한 역할을 담당하는 세포단백질 주변에는 6각형 고리구조의 물이 빽빽하게 들어서 있다. 결국 건강한 정상 세포안은 물론이요, 세포 주위에도 6각수가 밀집해 있다.

우리 몸 안에 있는 중요한 유전정보 물질인 DNA주변의 물이 건강한 사람의 경우 6각형 고리모양으로 질서 있게 구조화 되어 DNA를 보호하는 반면, 질병이 있는 경우에는 주변의 물 구조가 무질서하여 물분자가 쉽게 생체분자 밖으로 이탈하거나 제멋대로 돌아다닌다.

오늘날 난치병으로 꼽히는 암이나 당뇨병도 분자론적 물환경론의 관점에서 볼때, 종양세포나 당뇨병성 세포 주위의 물 구조를 바꾸어 줌으로써 치료할 수 있는 획기적인 길이 열릴 수도 있다. 우리 의학계도 정제화 된 약품만이 약이라는 고정적인 관념을 버려야 할 때가 온 같다.

한편 6각수를 만들어 사용하는 방법에는 어떤 것이 있나 살펴봐야 한다. 먼저 구조형성 이온인 게르마늄이온을 도입하여 6각형 고리모양으로 만들기도 한다. 또는 물을 아주 차게 하거나 물에 90° 방향으로 자장을 걸어 자화수(磁化水)를 만드는 방법도 있다. 한국과학기술원에서는 자화수 방법으로 6각수를 만드는 연구를 계속하고 있다.

6각수의 의학적 타당성

한때 서양인들이 우리나라의 인삼을 보고 '저게 무우가 아니고 뭐냐?'라고 반문을 한 적이 있었다. 그런데, 오늘날에도 옛날과 같은 어리석은 질문을 한다면 응답자는 이렇게 대답하지 않을까? '초등학교는 제대로 나왔느냐?'고. 이제 인삼을 알만한 사람은 다 아는데, 인체의 저항력을 증가시켜 주는 약제로서의 기능을 갖고 있다. 바로 이 인삼에는 사포닌 성분뿐만 아니라 물의 구조형성 이온으로 잘 알려진 게르마늄이 포함되어 있다.

따라서 인삼을 자주 섭취하면 우리 몸에 6각형 고리의 물이 많아져 더욱 건강해지는 것은 말할 나위가 없다. 그런데 요즘 시중에 신선초라고 하는 풀에 게르마늄이 많이 들어있는데 이를 이용한 건강식품이 난무하고, 심지어는 충북 옥천지방에서 게르마늄이 많이 든 생수가 좋다 하여 밤에 남의 논 한구석에 파이프를 박아 지하수를 게르마늄생수라고 속여 판다는 일이 많다 하지 않는가? 하지만 게르마늄은 따지고 보면 극독물의 일종으로 반도체 재료로 사용되는 물질이다.

이러한 것을 고농도로 먹게 되면 중금속 중독증세가 나타날 수 있다. 하지만 인삼에 함유된 게르마늄은 극미량이라서 중독 같은 문제는 일어나지 않는다.

한 임상실험 결과를 토대로, 암이나 당뇨병의 병태생리를 부분적으로 규명하였는데 암, 당뇨병 등의 질병세포 주변의 물의 운동양상은 무질서하기 때문에 종양세포나 당뇨병성 세포들이 새로이 퍼져나간다는 것이다. 또한 6각형 고리구조의 물은 정상세포를 도와 인체 내에 침입한 바이러스를 저지 내지 격퇴한다는 사실도 실험적으로 입증되었다.

이제 당뇨병의 바이러스 원인설이 의학계의 정설로 굳혀져 가고 있는데, 당뇨병성 세포 내외의 물 구조와도 밀접한 관계가 있음이 곧 밝혀질 것으로 기대된다. 인슐린의 고갈이나 부족이 당뇨병을 일으킨다는 점에서 보면 인슐린을 이루는 두개의 펩타이드 사슬이 S-S 결합을 하고 있는데 바로 이것이 물 구조 형성의 친수기이다. 따라서 이 S-S 결합을 강화시키는 원리가 당뇨병을 정복하는 하나의 지름길이 되지 않겠는가?

우리 의학계는 그동안 환경생태계에서 너무나도 중요한 역할을 하는 물의 가치를 백안시해 왔지만, 앞으로는 물, 그중에서도 6각수라는 물이 의학계 내부에 커다란 반향을 일으키고 신선한 충격이 되리라고 확신한다.

아무튼 6각수 이론이 더욱 더 정립되어야 할 것이고, 의학계는 아무런 편견없이 받아들여 고통받는 사람들의 편에 서서 유익하게 활용해야 할 것이다.

제 2 장
자화수(磁化水)는 기적의 물

자화수와 건강

자화수란

우리들에겐 '자화수'라는 말이 참 생소하게 들린다. 그만큼 우리나라에 덜 알려져 있으며, 주위의 친지들에게 자화수 얘기를 들어본 적이 있느냐고 물어보면 대부분 '모르겠다'고 대답한다. 간혹 알고 있는 사람들은 '자화수 목욕탕에 간 일이 있는데 확실히 보통 물과는 달리 부드럽고 개운합디다'라고 하면서 자화수 목욕이 피부에는 좋은 것 같다는 의견을 말하기도 한다.

독자들이 몹시 궁금해 하겠기에 '자화수(磁化水)'에 관해 설명을 드리고자 한다. '자화수'란 한마디로 '자기(磁氣)'로 처리된 물이며, 물 자체가 자성(磁性)을 띄고 있다고 볼수 있다. 좀더 구체적으로 이야기 한다면, 미네랄이 포함된 물을 [단, 증류수는 제외] 자기처리(磁器處理) 하게 되면 모두 자화수가 되는 것이다.

중학생만 되어도 잘 아는 렌츠 프레밍의 법칙을 한번 상기해 보면 쉽게 이해할 수 있다. 즉, 코일과 자석을 직교시켜 움직여 주면 코일에 전류가 흐른다. 물에는 여러가지 미네랄이 함유되어 있으므로 훌륭한 전도체 역할을 하는데, 물에 전자기를 발생시키면 물과 물에 포함된 미네랄들이 이온활성화 되어 비로소 자화수가 된다.

모든 물질은 원자로 구성되어 있고, 이 원자 안에는 원자핵의 주위를 궤도를 따라 회전하고 있는 전자들이 있다. 이 전자가 바로 자화력이라는 에너지를 발생시키게 된다. 그런데 외부에서 일정한 자장을 가하게 되면 자성체로 이루어진 물질들이 가진 자화력의 강도가 더욱 강해진다. 그러므로 외부에서 가하는 자장의 기본단위인 가우스[G]의 크기를 조절하면 자화수를 인공적으로 만들 수 있다.

그런데 우리들에게는 아직 생소한 이 자화수(磁化水)가 일반적인 식수(食水)라는 차원을 넘어 뒤에 자세히 기술하게 될 질병의 치료라고 하는 약용수의 차원까지 발전하게 된 것을 우리 국민과 함께 기쁘게 생각한다.

단언하건데, 이 자화수는 고가의 오염된 생수나 장삿꾼들의 농간으로 외국에서 수입해 판매되는 정수기로 만들어진 물과는 도저히 비교할 수 없을 정도의 가치와 권위를 가지고 있다. 그러므로 자화수는 우리 일상생활에서 습관화 된 물에 대한 무관심과 고마움을 모르는 일반적인 세태에 대해 혁명적으로 물의 가치를 재인식시켜 주게 될 것이다.

자화수의 등장이야말로 하나님이 내려주신 최고의 은총이라고 할 수 있다.

자화수와 살아있는 산소의 역할

우리는 한 순간도 산소를 호흡하지 않고서는 살아 나갈 수가 없다. 의학적으로 인체를 전신마취 시킬 때, 뇌세포가 일시적인 산소 결핍 현상을 견딜 수 있는 시간은 대개 3분 내지 5분이다. 만약 이 시간 내에 마취가 되고 동시에 인공호흡이 이루어지지 않으면 식물인간이 될 가능성이 많다. 이런 점으로 보아 병원에서 시행하는 전신마취의 중요성을 엿볼 수 있다.

인간은 유기체 중에서도 공기 중의 산소를 받아들이고 체내의 이산화탄소를 방출시켜야만 살아갈 수 있다. 여기에서 우리가 늘 호흡하는 공기중의 조성 비율을 구체적으로 살펴보면 흡식공기(들어마신 공기)중에는 산소(O_2)가 20.94%, 이산화탄소(CO_2)가 0.03%, 질소(N_2)가 79.03% 로 되어 있다. 자세한 내용은 다음 도표를 참조하기 바란다.

안정된 상태에서의 공기의 조성

단위 : %(백분율)

표　　본	산　　소	이산화탄소	질　　소
흡식 공기	20.94	0.03	79.03
호식 공기	16.44	3.84	79.03
폐포 공기	14.00	5.60	80.40

인체의 매분 환기량을 7ℓ로 본다면, O_2(산소)는 매분 310㎖가 흡수되고 CO_2(이산화탄소)는 매분 약 260㎖가 배출된다. 우리들의

폐 안에는 2.5~3.5억개의 폐포라고 하는 호흡구조의 기본단위가 있는데 우리가 들여 마신 산소를 폐포의 모세혈관내 혈액에 공급하고 혈액은 조직에서 발생한 이산화탄소를 수용하여 폐포 내로 들어오게 하여 방출시킨다.

의학적인 설명은 그렇다고 하고, 우리 인간이 물에서 산소를 받아들일 수 있다고 생각한다면 대부분 식자(識者)인체 하는 사람들도 쉽게 이해하지 못할 것이다. 일반적으로 산소는 무조건 공기중에서만 섭취한다는 고정관념을 가지고 있기 때문이다. 그런데 앞에서 설명한 바와 같이, 자화수는 물을 자기처리한 것이므로 이 과정에서 물속에 녹아있는 산소는 분명히 운동 에너지가 활성화 되어 마치 시원한 사이다병을 따면 탄산가스가 급격히 용출하듯, 자화된 산소 역시 화산이 일시적으로 폭발하는 것 같은 발포력을 나타낸다. 차가운 자화수를 대개 상온 10~18℃ 사이에 놓아두면 유리컵의 벽면에 활성화 된 산소가 마치 벌집모양을 연상할 만큼 발포화 되어 빽빽히 붙어있는 것을 볼 수 있다.(보통 상온 10~18℃ 사이에서 가능)

이렇게 살아있는 산소는 정수된 물이나 시판되고 있는 소위 생수에서는 거의 발견하기가 어렵다. 바로 이렇게 살아있고 생명력이 넘치는 산소를 우리가 자화수를 마실 때마다 흡입하게 되는 것이다. 그러니까 양적인 측면에서 볼때, 공기 중에 떠다니는 산소가 자화수 안에 있는 산소보다 많은 편이지만 질적인 측면에서는 무시할 수 없는 것이다. 또한 자화수를 마시고 나면 자화수 안에 녹아 있는 발포성 산소가 식도·위장·소장·대장 등을 거쳐 배설되는데, 이 살아있는 산소가 특히 위장과 대장의 점막부분을 자극하기 때문에 여기에 분포된 미세혈관의 혈류를 촉진시키게 되는 것이다.

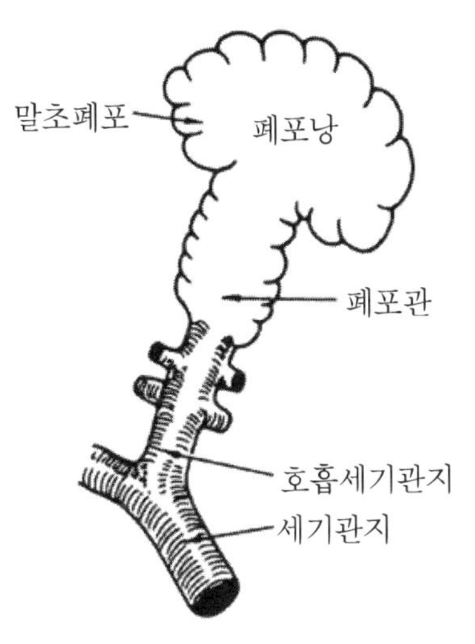

말초기도(末梢氣道)

대형화재가 발생되면 카펫이나 전기배선 등이 타게 되므로, 유독한 가스를 우리가 흡입하게 되는데, 폐 기능에 치명적인 악영향을 미치게 된다. 또 위장에도 당연히 유독가스가 들어오기 때문에 위장이 갑작스레 팽창되어 급기야 병원에서는 L-tube(레빈 튜브)라는 관을 삽입하여 유독가스를 바깥으로 내보내게 된다. 이때 만일 자화수로써 산소를 공급하고 유독가스를 배출시킨다면 얼마나 효과적인가를 생각할 때, 우리가 물속에서 신선한 산소를 섭취하는 일이 얼마나 중요한지 알 수 있다. 또, 변비 치료라는 것도 장내 유해한 가스를 이들 살아있는 산소들이 몰아내어 장내 환경을 깨끗이 한다고 이해하면 될 것이다. 그러므로 위암이나 대장암의 발병률도 상당히 감소시키는 예방적 효과를 거둘 수 있다. 요사이 시중에는 소위 증류수 정수기를 팔아먹으려는 일부업자들의 주장이 많이 반영된 책자가 나와 있는데, 살아있는 산소라곤 전혀 없는 증류수가 노화를 예방하고 성인병에 좋다는 식으로 궤변을 늘어놓아 순진한 국민들을 오도하고 있다.

필자는 의사로서의 양심을 걸고 이러한 잘못된 행위를 국민보건이라는 측면에서 우려하지 않을 수 없다.

대도시에서 다양하게 스트레스를 많이 받는 현대인들이 중금속 등으로 오염된 공기를 마시는 것 보다는 피톤사이트가 풍부한 삼림욕(森林浴)을 하고 세균과 중금속 등으로 오염된 시판생수 대신 살아있는 산소가 풍부한 자화수를 마신다면 틀림없이 공해병도 예방할 수 있을 것이다.

우리 인간의 몸은 산소 없이는 제대로 세포조직이 제 기능을 다할 수가 없다. 그러므로 산소결핍이 장기간 계속되면 반건강체(半健康體)가 되어 예비 환자가 되기 쉽다. 혹시나 무슨 큰 병이 아닐까 겁이 나서 병원에 가보면 의사들은 진찰과 함께 여러가지 검사를 하게 되는데, 뚜렷한 병명이 나오지 않는 경우가 많아서 권위있는 종합병원을 이리저리 기웃거리게 된다. 산소가 부족되면 뇌의 활동도 둔화되어 집중력, 판단력, 기억력 등이 현저하게 떨어지게 되며, 몸도 나른해진다. 도저히 아침에 일어나서 출근하기 조차 어렵게 된다. 정력이 많이 떨어져 부인으로부터 무시당하는 경향이 있는 등 이루 말할 수 없이 체력이 떨어지게 된다. 그래서 필자는 의사로서 독자들에게 권고하는 것인데, 늘 충분한 산소를 들여 마실수 있도록 유산소 운동, 예를 들면 조깅·자전거타기·테니스·요가 등을 열심히 하고 '물 중의 물'인 자화수를 가정에서나 직장에서 꾸준히 마시라는 것이다.

자화수와 활성 미네랄

독자들께서 간혹 서점에서 역삼투압 정수기나 증류식 정수기를 소개한 책을 읽다보면, 미국의 생리학자인 브레그씨의 말을 인용하고, 유기 미네랄은 인체에 유익하고 무기 미네랄이 체내에 축적되면 여러가지 성인병 등이 생긴다고 잔뜩 겁을 주고는 위에 말한 정수기를 구입하라고 유혹하는 내용을 보았을 것이다.

분명히 말해서, 의학적으로는 유기 미네랄과 무기 미네랄로 분류할 필요도 없는 것이다. 무기 미네랄을 질병의 원흉으로 강조하는 사람들은 앞서 말한 미국의 브레그씨를 신주 받들듯 이 사람의 이론을 120% 활용한다.

그런데 브레그씨는 생리학과 영양학을 전공한 사람이지 절대 임상학과 연결시켜 체계적으로 공부한 사람은 아니다. 더구나 절대로 의사가 아니라는 사실을 명심하여야 한다. 세계의 어떤 의사들도 무기 미네랄이 성인병의 주범이라는 주장에는 웃음을 금치 못할 것이다.

의학적으로 인정할 가치도 없는 유기 미네랄도, 무기 미네랄도 인체에 모두 필요하며, 단 일시적으로 어떤 특정 미네랄이 혈중에 많아질 때 문제가 발생될 뿐이다.

우리 조상들이 심산유곡이나 뒷산의 좋은 약수터에서 떠먹은 물들은 바로 건강을 지키는 핵심적 역할을 하였다. 최근처럼 서양식 음식들이 너무 범람하여 여러가지 성인병을 유발하고 있는데 비해, 우리의 지혜로운 조상님들은 좋은 공기와 좋은 미네랄이 적절히 함유된 물, 어디서나 손쉽게 구할 수 있는 싱싱한 채소를 드시면서 건강을 유지해 왔다. 일시적으로 전염병때문에 어려운 일이 있었으나, 한국적인 전통음식은 현대에 와서도 장수 식품의 개발에 크게 공헌하고 있다.

앞에서, 자화수에는 천연자화수와 인공자화수가 있다고 했는데, 이들 자화수는 물 속에 용해된 유익한 미네랄 이온들이 보통 물에 비해서 더욱 활성화 된 특징을 지니고 있다.

다음에 자세히 설명하겠지만, 살아있는 물속의 미네랄은 이온화 정도가 높고, 여기에 자기처리를 하면 이온의 운동에너지가 전기에너지로 변화되면서 이온의 활성화가 나타난다. 이렇게 활성화된 미네랄 이온들은 체내에서 흡수가 빨라지게 되며, 이들을 필요로 하는 조직 세포들의 생체 활성이 더욱 촉진되어 신진대사 과정이 원활하게 이루어진다.

특히 인체에 흡수된 활성 미네랄들은 생체 대사과정에서 필수적인 요소인 효소들의 작용을 활성화 시킨다. 아울러 세포막을 통해 일어나는 Na^+과 K^+의 교환으로 신경의 자극, 흥분, 전달을 일으키게 한다. 예컨데 Ca이온은 심장근육의 규칙적인 수축과 이완에 관여하기도 해서 체내혈관의 압력을 적절히 조절하여 혈액 응고 작용에도 관여한다. 염소 이온같은 경우는 위액의 산도를 적절히 유지하기도 한다. 마그네슘 이온은 효소 생산에도 기여하고 신경 근육 조직 등에도 이용된다.

우리들의 머리속에는 물이 너무나도 흔한 존재이기 때문에 '흔한 것은 가치가 없다'라는 생각이 무의식적으로 고착된 것 같다. 그러나 독자들이 잘 아는 바와 같이, 며칠만 물을 못 먹으면 인간은 죽는다. 바로 이 사실만 끝까지 명심한다면 물이 얼마나 귀중한 존재인가를 새삼 깊이 느끼게 될 것이다.

자! 이제부터 '좋은 물은 보배보다도 가치가 있다'고 생각하자.

자화수 붐 드디어 일다!

언제부터 인간이 물을 자기처리해서 이용해 왔는가 하는 것은 매우 궁금하다. 문헌상에 나와 있는 걸 보면, 13세기 무렵 스위스의 물리학자인 데 · 게르슈가 자화수를 이용한 치료법을 발표한 것이 최초였다. 그 후 시대적으로 각광을 받지 못하다가 20세기 초 의학적인 측면에서 상처나 피부의 헐은 조직에 자화수를 사용해 보니 꽤 도움이 되었다는 발표가 있었다.

그 후 의학 분야보다는 산업분야 쪽에서 더욱 큰 효용을 발휘하였는데 1945년 벨기에의 T. 페르메일렌이 물의 자기처리 장치를 고안하여 비로소 실용화 되었다. 페르메일렌이 연구를 시작하게 된 동기는 파이프에 물때가 너무 자주 끼어 이를 해결하고자 자력의 원리를 도입하였다. 사실상 옛 소련에서는 더 빨리 자화수에 대한 연구가 성공한 바 있었다. 비록, 냉전체제 기간 동안은 자화수의 효능이 베일에 가려 있었지만, 다행히 최근에는 자화수를 의학적으로, 농업적으로, 환경과학적으로 이용하게 되었다니 참으로 반가운 일이 아닐 수 없다.

오늘날에 와서는 옛 소련 뿐만 아니라 일본, 미국, 중국 등에서 연구가 활발히 이루어지고 있을 뿐만 아니라 자화수기를 목욕탕에 설치하여 피로회복과 피부미용에 적극적으로 이용하는 추세이고 보니 이제 자화수 붐이 시작되고 있다고 해도 과언이 아니다.

자화수의 진가

1970년대부터 급속하게 진행된 산업화의 후유증때문에 환경오염이란 문제가 심각하게 논의되기에 이르렀다.

아름답기 그지없는 금수강산은 공장 폐수, 축산 폐수, 생활하수, 골프장이나 농가에서 과다하게 사용하는 농약 등으로 날이 갈수록 황폐화 되고 수질은 오염되어 비싼 소위 '생수'라는 것을 사먹게 되었고, 이때를 놓칠세라 정수기 업자들은 돈벌이에 극성을 부리고 있다.

오늘날, 이 나라에 사는 사람치고 '환경오염'이란 낱말을 모르는 사람은 거의 없다.

상수원을 관리하는 행정관서의 무감각한 환경행정 때문에 급기야 4대강의 하나인 낙동강이 페놀과 톨루엔 또는 6가크롬 등으로 오염되었으나 부산과 경남 주민들은 이 물을 마실 수 밖에 없는 지경에 이르렀다.

결국, 마시는 물에 대한 관심이 증대되면서 한때 여론의 철퇴를 맞았던 정수기업체들이 슬슬 고개를 들고 있고 국내법 규정상 시판이 금지된 지하수[상품화 된 생수]를 유・무허가업체들이 판매하는 등 이 나라는 온통 무법천지가 된 듯한 느낌이다. 한 나라의 복지부장관이라는 사람들이 국민 건강을 일찍부터 근본적으로 생각했더라면 소위 생수시판 검토라는 말도 안 나왔을 것이고, 전국의 상수원도 이토록 오염되지는 않았을 것이다.

그런데, 최근 식수라는 차원을 넘어 인체의 질병까지 치료할 정도의 자화수론(磁化水論)이 제기된 것을 의사의 한 사람으로서 국민보건의 책임을 지고 있기에 두 손을 들고 환영하지 않을 수 없다. 이같은 이론은 이미 옛 소련 과학아카데미의 연구결과 입증되었다고 일본의 물 전문가인 후지모도씨가 〈磁石으로 물을 소생시킨다〉라는 저서에서 밝히고 있다.

이 책에 의하면 소련과학아카데미는 자화수를 다각적으로 검토했는데 의료적인 측면에서도 자화수의 효과는 경이로울 정도였다고 한다. 쥐를 사용한 실험에서, 쥐에게 자화수로 만든 먹이를 먹였더니 간(肝)속의 콜레스테롤치가 20일 후에는 2/3로, 90일 후에는 2/5로 줄어들었으며, 더욱이 혈중 콜레스테롤치가 낮아졌는데 이런 효과는 인체에도 똑같이 적용되어 동맥경화증 환자에게 자화수를 마시게 한 결과 콜레스테롤치가 현저하게 줄었다는 것이다. 또 신장결석이 있는 환자 30명을 자화수로 치료한 결과 9명에게서 결석이 완전히 제거되는 등 모두 63%의 치료 효과가 있었다고 한다. 이 같은 치료 효과는 전적으로 자화수만으로 얻어진 것이다.

후지모도씨는 레닌기념병원에서 실시한 독특한 치료법도 소개를 하고 있다. 즉, 고혈압과 동맥경화증 환자 32명을 자화수기(磁化水器)로 자화(磁化)시킨 바닷물에 하루 10분씩 목욕시킨 결과 이전에 나타냈던 두통·귀울림·흉통·전신피로·불면증이 없어졌다.

고혈압 환자의 경우, 이같은 자화수 치료를 실시하기 전에는 149-87이던 혈압이 치료 후에는 130-81로 정상이 되었다고 한다.

후지모도씨는 소련과학아카데미에서 당뇨병을 치료한 경우도 소개하고 있는데, 이외에도 위장의 기능을 강화시켜 주고 설사를 멈추게 하며 변비 해소, 치질 치료, 천식 억제, 요통경감 등의 효과도 나타낸다는 것이다.

자화수가 이같이 신비적인 효과를 나타내는 것은 자화수가 세포의 조직을 활성화시켜 인체의 신진대사를 촉진시키기 때문이라고 소련과학아카데미는 설명하고 있다.

필자가 자화수의 놀라운 치료 효과를 면밀하게 검토한 끝에 병원에 찾아온 환자분들을 대상으로 자화수를 마시게 한 결과, 고착된 의료 관행과 의학 지식에서 볼때, 일대 변혁을 초래할 만큼 놀라운 치료 효과를 보았으므로 이에 대한 구체적인 이야기는 이 책 후반부에서 자세히 기술하려고 한다.

자기(磁氣)가 건강에 미치는 영향

자기결핍증후군이란?

자기(磁氣)의 부족에 의하여 일어나는 여러가지 병적인 상태를 '자기결핍증후군'이라고 한다.

일본의 나까가와 박사가 자기치료에 관하여 오랫동안 연구를 거듭하던 중, 마땅한 단일 질병명은 없는데 여러 가지 증상들이 복합적으로 나타나 이를 자기결핍증후군이라고 이름지었다.

자기결핍증후군을 구체적으로 설명하기 전에 우선 왜 오늘날의 현대인들이 쉽게 '자기결핍'에 빠지는가를 알아보자.

다들 잘 아는바와 같이, 지구는 하나의 커다란 자석(磁石)이고 북극과 남극에서 각기 자력선이 나오고 있다. 나침반은 바로 이러한 원리를 이용해서 개발되었으니까 자기와 인간과의 인연은 꽤 오래 전부터 있었다.

우리 인간은 숙명적으로 거대한 지구자장(地球磁場) 속에서 생활하고 있는데 이를 달리 표현하면 '환경자장'이라고 부른다. 우리나라의 경우 약 0.5가우스의 자장을 유지하고 있기 때문에 그 속에서 생활하는 우리들은 늘 0.5가우스의 자력선을 쬐고 있는 것이다.

환경자장과는 별도로 우리 몸에 전류가 흐르고 있음이 18세기의 이탈리아 의학자 갈바니에 의해 입증되었다. 우리가 병원에서 이용하는 뇌파검사(EEG)나 심전도(ECG)도 인체내에 흐르는 전기에너지의 변동 사항을 눈으로 확인하기 위해 그래프로 도식(圖式)시키는 것이다.

과학적인 상식인데, 전기가 발생되는 곳에는 반드시 자기가 발생되기 때문에 전기와 자기는 떼어놓고 생각할 수 없을 만큼 밀접한 관계인 것이다.

한편, 체내의 자장을 '생체자장'이라고 하는데 환경자장과 생체자장이 상호균형을 이룰 때 건강이 유지되는 것이다.

일본에서 연구된 바에 의하면, 나이가 듦에 따라 체내전압이 낮아지며 따라서 몸의 자기도 약해진다는 것이다. 쉽게 말하면 정력인 에너지가 약해진다는 의미이다.

따라서 건강을 유지하기 위해서는 부족한 만큼의 자기를 보충해 주어야 한다.

우리 현대인들은 알게 모르게 자기결핍상태에 빠져 있는데 서구의 영양학이라는 학문에 종속되어 무조건 부족한 영양분만 채우면 건강하게 되는 줄 알았는데 이것이 큰 착각이었음이 최근에 밝혀졌다.

옛날 우리들의 어린 시절을 돌이켜 볼때, 흙과 나무로 된 집에서 살았고, 평소 맨발로 논길이나 자갈길을 걸어 다니는 것이 현실이었다.

그때는 비록 풍부한 영양분의 섭취는 없었지만 인체의 원기(原氣)인 자력선은 풍부하게 쪼일 수 있었다.

오늘날 현대 산업사회의 경제적 발전때문에 풍요와 안락을 구가하고 있지만 왜 이다지도 병원에 환자들이 많이 몰리고 있는가? 이제부터 자기결핍과 여러가지 증상에 대하여 설명하기로 한다.

한편, 자기결핍때문에 혈행장애(血行障碍)가 일어나는데 그 대표적인 증상들은 아래와 같다.

첫째, 견비통(肩臂痛)을 들 수 있다.

일종의 어깨결림 증상인데 오랫동안 일을 하고 난 뒤에 어깨와 목이 빼근하고 움직이기가 어려울 정도로 결릴 때가 있다.

대체로 가정에서 불편하게 오래 일을 하는 여성들에게 대체로 흔하다.

둘째, 경견완(頸肩腕) 증후군이 날로 증가하고 있다.

전화 교환수, 글쓰는 이, 컴퓨터 프로그래머 등에 많이 생기는데 목·등·팔에서 저리 저리한 감각이 느껴지고 통증이 수반되며 심지어 근육마비까지 일어난다.

셋째로, 요통이다.

현대인들 중 특히 앉아서 일을 하는 사무직 직원들에게는 숙명적인 증세인데 매우 흔하다.

허리는 우리 몸의 대들보라고 할 정도로 척추신경이 지나가면서 중요한 역할을 하고 있다.

평소에 허리가 약한 사람들인 경우, 자세가 엉거주춤한 상태에서 무거운 물건을 많이 들어 올리다가 삐끗하는 수가 많아 병원을 자주 찾는다.

허리 X-레이를 찍어도 아무 이상이 없는데 자꾸만 요통을 호소하는 분들은 허리가 구조상 약하고, 둔부 근육이 덜 발달되어 있는 분들이 많다.

아마도 자기결핍으로 혈행이 저하되면 허리가 약하지 않을 수 없다. 대개 콘크리트 빌딩이나 철골 구조 속에서 일을 많이 하는 현대인들이기 때문에 자기결핍은 필연적이다

넷째로, 자율신경부조증(自律神經不調症)이다.

자율신경부조증이란 자율신경계가 조절 능력을 잃어버리는 증상을 말한다.

자율신경계는 심장이나 위장 등 소화기관의 작용과 발열, 손발의 혈관 등 자기의 의사와는 관계없이 몸을 유지하는데 있어 필요에 따라 자동적으로 조절되는 장기의 기능을 지배하는 신경이다.

자율신경계가 조절 능력을 상실하게 되면 두통, 코막힘, 현기증, 가슴떨림, 축축하게 땀이 나고, 피곤한 증상들이 주로 생긴다.

이 자율신경부조증은 허약한 사람들이나 50대 이상의 노년층에 흔히 나타난다.

혈관조절 능력이 떨어지므로 갑자기 혈관이 확장되어 얼굴이 자주 화끈 화끈 달아오르는 증상도 있고, 손과 발이 무척 차가워지기도 한다.

한방병원에 가면 위와 같은 증상들을 냉증・열증이라고 하며, 이런 증상을 자주 호소하는 분들이 주위에는 너무나도 많다.

변비도 자율신경부조증의 한 범주인데 날씨가 갑자기 차가워지거나 더워지면 변비가 악화된다. 변비에 관해서는 뒤에 자세히 기술하겠다.

유해 전자기파의 악영향

직장인들 중에서 최근에 보편적으로 취급하는 컴퓨터나 워드프로세스 등 사무처리 기기를 많이 다루는 사람들이 잘 걸리는 직업병으로 YDT증후군과 경견완(頸肩腕)증후군이 있다.

여기서는 유해전자기파(有害電磁氣波)에 많이 노출되어 생기는 YDT증후군을 대표적으로 설명하겠다.

주로 가임여성이나 임신부들이 컴퓨터 등을 오랫동안 다룬 뒤, 많은 산부인과적인 문제들이 발생되어 서구사회에서 산부인과학회지에 보고되었다. 구체적으로 살펴보면 유산·조산·사산 그리고 드물게는 임신중독증도 있었다고 한다.

그런데, 직장에서만 유해전자기파를 받는 것이 아니다. 우리 가정에 흔히 있는 텔레비전·형광등·냉장고 등에서도 인체에 유해한 전자파들이 많이 방사되고 있다.

요즈음 TV 생산회사들이 앞을 다투어 원적외선을 방출하는 TV를 생산, 판매하고 있는 걸 보면 텔레비전의 인체 유해성을 다소나마 이해하기 시작했다는 점에서 반가운 사실이다.

그런데 더욱 문제가 되는 것은 청소년들이 비디오나 전자오락기 앞에서 노는 시간들이 많아지는 것인데, 내용의 선정성과 폭력성이 청소년들에게 나쁜 심리적 영향을 끼쳐 사회범죄를 유발하는 추세가 증가하고 있다.

그러나 이에 못지않게 신체적, 정신적으로 나쁜 것은 집중력 감퇴, 정서 불안, 두통, 기억력 저하 등을 들 수 있다.

자화수는 보약(補藥)보다 좋다!

작년 여름 국민들을 무척이나 짜증나게 한 사건이 있었다.

그 사건은 이름하여 '한약조제권 다툼'이었는데 핵심은 소위 보약(補藥)장사라는 크나 큰 이권을 한의사나 약사들이 서로 자기들의 고유영역이라고 주장하며 선량한 국민들을 볼모로 삼았던 것이다.

우리들은 한의사 선생님들이 그동안 보약 조제로 경영을 유지해 온 사실을 잘 알고 있다. UR이 타결되고 앞으로 그린라운드(GR)의 거센 파도가 닥쳐올 것이 분명한 우리나라의 경우, 동・서약학으로 갈라져 서로 잘났다고 해묵은 논쟁만 거듭하고 있다.

그런데 보약(補藥)이라는 것이 도대체 어떤 것인가? 인체의 기(氣)가 허(虛)했을 때, 사기(邪氣)를 물리치고 정기(精氣)를 북돋우자는 개념이 아닌가?

우리나라 사람들처럼 보약을 좋아하는 민족 또한 드물다. 물론 한방(韓方)이 궁중의학에서부터 시작한 우리나라니까 돈 없고 불쌍한 서민들이 아파도 쉽게 약 한 첩을 달여먹기 쉽지 않았을 것이다.

세계는 국제화, 개방화 추세로 나가고 있는데 보약의 실체도 이제는 완전히 규명되어야 한다.

그런데 여기서 꼭 강조하고 넘어가겠는데, 의학자나 영양학자들의 말을 빌리자면 우리가 늘 마시는 신선한 공기, 좋은 물, 오염되지 않은 채소류와 육류의 균형된 식사, 적당한 운동이나 노동 등이야말로 최고의 보약이라는 것이다.

필자가 역시 임상적으로 환자들에게서 느낀바 자화수(磁化水)를 지속적으로 마시게 되면 만성피로의 회복, 견통이나 요통의 경감, 식욕증진, 면역력 증강 등의 긍정적인 임상결과를 얻게 되었다.

따라서 자화수를 마시는 것은 첫째, 적은 돈으로 얻을수 있기 때문에 좋고, 효과 또한 뒤떨어지지 않으므로, 결론적으로 말해서 자화수는 한방의 보약보다 낫다는 이야기가 된다.

장수촌 빌카밤바와 자기(磁氣)

앞에서 언급한 바와 같이, 세계적으로 유명한 장수촌인 빌카밤바는 과연 어떤 곳인가? 이곳은 지리적으로 남미대륙을 가로 지르는 안데스 산맥의 최북단에 위치하고 있는데 1백세가 넘는 노인네들이 열심히 일을 하고 있는 모습이 매우 인상적이다.

관광지나 휴양지로서도 각광을 받고 있는 것은 결코 우연이 아니다.

사실, 이 장수마을에 살고 있는 노인 중, 무려 1백 20세가 넘는 노인들이 노익장을 과시하며 관광객들을 위해 기꺼이 사진 포즈를 취해 주기도 한다.

하나님이 내려 준 축복의 땅이자 천혜의 장수 마을 빌카밤바의 비밀은 과연 무엇일까? 이 비밀의 정체는 빌카밤바에 우뚝 솟은 만단고 산(山)에 매일 새벽 2～4시 사이 약 20분간 나타나는 공중 방전현상이라고 할 수 있다.

이러한 사실을 알아차린 일본 학자들이 수년 전부터 이 만단고 산(山)에 무인측정기를 설치하여 여러 자료를 수집하고 있다. 또한 금과 은의 양극과 음극, 전자기파가 인체에 미치는 영향 등을 분석하고 있다고 한다.

이와 관련하여 이미 일본에서는 자장(磁場)을 이용해 농산물의 성장을 촉진시킬 수 있다는 연구 발표가 있었다.

1백세 이상 노인들로 붐비는 천혜의 장수촌 빌카밤바, 그들이 왜 오래 살며 건강을 유지하는가?

그것은 매일 새벽, 신비스럽게 내리치는 마른번개의 전자파 자장(磁場)이 바로 인간의 생명을 연장시키는 주요한 열쇠가 아닌가 생각되며, 그 점에서 자기가 인체에 미치는 영향을 심도있게 의학적으로 연구해야 할 때가 온 것 같다.

자화수의 의학적 근거

물과 혈액의 이온화

물을 자기처리하게 되면 물의 운동에너지 일부가 전기에너지로 전환된다.

그 다음에 물속에 있는 전해질의 이온이 다른 것과 결합되기 쉬운 상태로 활성화가 이루어진다. 결국 이렇게 하여 물의 화학적, 물리적 특성이 변화되어 살아있는 물, 즉 자화수(磁化水)가 되는 것이다.

따라서 전해질이 함유되지 않은 죽은 물인 증류수나 정수기로 처리하여 미네랄까지 모두 제거된 물은 절대 활성화 된 물이 아니다.

자기 처리된 물의 특성은 의학적으로, 그리고 물리적 또는 화학적으로 볼때 아래와 같은 타당성을 갖고 있는데,

우선, 체액의 전도율이 훨씬 증가된다.

둘째, 용해도가 보통 물보다 탁월하게 우수하다.

셋째, 살아있는 산소 농도가 증가되며, 따라서 증발 속도가 훨씬 빠르다.

넷째, 표면장력 또한 월등하게 증가된다.

다섯째, 멸균작용이 탁월하고 점도(粘度)가 증가된다.

한편, 일본 같은 나라는 후생성에서 약사법에 근거하여 자기매트리스나 자기팔찌 등 자기치료기를 생산, 판매토록 허용하고 있는데 효능상 피의 흐름을 좋게 해주고 통증을 완화시켜 준다고 한다. 그렇다면 자기(磁氣)가 왜 피의 흐름을 좋게 해줄까?

일본의 나까가와 박사 같은 이는 그 이유를 '혈액의 이온화' 때문이라고 주장한다. 이온이란 플러스(+) 또는 마이너스(-)의 전기를 갖는 원자를 말하는데, 원자 중에는 이온으로 되기 쉬운 것과 되기 어려운 것이 있다.

자성(磁性)을 띤 물을 마셔 체내에서 흡수되면 간문맥을 통해 심장으로 와서 전신으로 순환하는데, 혈액의 운동에너지 일부가 전기에너지로 변화하여 혈액 속에 새로운 전기가 발생되며 전기에 의하여 지금까지 이온으로 되어 있지 않은 것도 비로소 이온으로 되는 것이다. 그러한 이온들이 자율신경에 작용하면 악화된 혈액순환이 원활하게 이루어진다.

혈액순환이 좋아지면 몸의 전신에 산소를 고르게 보내게 되고, 대사 후의 산물인 물의 찌꺼기를 신속히 제거하기 때문에 변비나 만성피로 · 견통 · 근육통 · 요통 등이 빨리 치료되는 것이다.

자화수(磁化水)와 기혈(氣血)

필자는 동서의학을 접목시키겠다는 의욕때문에 침술에 관해 대단한 관심을 가지고 있다.

침술의 적용 질환은 한정되어 있으나, 하여튼 근육, 골격계 질환의 치료에는 양의학적인 치료 기술과 함께 병행하면 치료기간을 대부분 절반으로 단축시킬 수 있다.

여기에서 분명히 밝힐 것은, 필자가 학문적으로 관심을 가지고 있었을 뿐 일부 계층이 우려하는 '밥그릇싸움' 따위의 치졸한 차원이 아니라는 점이다. 관계 당사자들은 오해가 없기 바란다.

하여튼 한의원에 가면 톤메터기(Tornmeter)라고 하는 의료기구가 있는데, 이는 체내적 기(氣)의 흐름을 측정하는데 이용되며 그러므로 한의원에는 꽤 중요한 기계이기도 하다.

한의학은 기(氣)에 관한 치료 학문일 정도로 기혈(氣血)이 학문의 요체를 이룬다. 그런데 잘 분석하여 보면 침술, 한약, 자기치료기 등은 한가지 공통점 즉, 기(氣)의 운행을 촉진시킨다는 것이다.

즉, 기(氣)는 혈(血)을 지배하는데, 기(氣)라고 하는 것이 눈에 보이지는 않지만 일종의 전자기적인 흐름이라고 추정되며, 경락(經絡)이라고 하는 것은 전자기가 흐르는 파이프라고 볼 수 있다.

따라서 자기처리된 물인 자화수를 마신다는 것은 기(氣)의 활성화가 이루어져 혈액의 순환을 촉진시키자는 의도와 같은 것이다.

여기서 한가지 덧붙일 것은 자기처리된 물이 체질을 확실히 개선시킨다는 점이다. 알레르기성 피부염이 자화수로 잘 치료되는 점을 보더라도 체질개선 효과는 탁월하다. 그러고 보면, 좋은 물은 나쁜 체질까지 바꿔주니 자연의 혜택이 얼마나 큰지 모르겠다.

자화수를 얻는 방법

심산유곡의 물은 천연 자화수

프랑스에 유학가는 사람들은 우선 물 걱정을 하게 된다. 왜냐하면 프랑스에는 석회질 성분이 다량 함유된 물이 많기 때문이다. 그래서 고육지책으로 방법을 강구한 것이 빗물을 상수원으로 활용하는 특이한 정수 방법을 쓰고 있다.

우리나라는 불과 30년 전만 하더라도 가까운 시냇가 또는 산속의 계곡에서 흘러나오는 물을 탈 없이 마실 수 있었다. 요사이는 성인병이 빈발하기 때문에 30대부터 서서히 긴장하기 시작하는 경향이 되었지만, 30년 전에 성인병의 발병률은 극히 낮았다.

우리나라는 70년대부터 수출 드라이브정책을 강행, 2차산업 제1주의의 구호를 내걸면서 환경에는 지극히 관심이 없었다.

이 시기와 맞물려 우리나라의 물이 서서히 오염되기 시작하고, 서양음식이 우리들의 식탁을 점차 점유하기 시작했는데 그로부터 10년이 경과한 80년대부터는 성인병의 발병률도 높아졌다. 물론 암의 발병률도 마찬가지였다.

그러나 우리나라의 대표적 장수촌인 전남 구례군 마산면 상사 마을의 당물샘은 온 마을 사람들이 무병장수하는 비결로 꼽는 보배중의 보배이다

그런데, 이 당물샘의 물은 한달 넘게 물독에 담아 두어도 물때가 끼지 않는다니 참으로 놀라운 일이라고 하지 않을 수 없다.

사실 이 샘물은 지난 1986년에 모 의과대학의 예방의학교실팀이 당물샘의 수질을 분석한 결과 전국 최상의 물로 결론이 났던 것이다.

그런데 우리나라에는 아직도 이 같은 당물샘 외에도 좋은 천연적인 샘물이 많은데 바로 이러한 물들을 과학적으로 분석해 보면 천연적인 자화수라고 볼 수 있다.

그러니까 심산유곡에서 탐스럽게 송골 송골 솟아나는 샘물들은 물리, 화학적인 성분은 물론이고, 물 자체에 기(氣)가 살아있으므로 정기(精氣)가 가득차게 되는 것이다.

이점에서 우리는 다시 한번 자연은 우리가 태어난 곳이면서 또한 죽을 곳이라고 늘 생각해야 하며 우리의 몸을 건강하게 해주는 자연속의 물을 오염시킨다는 것은 바로 자기를 멸망시키는 것이라고 생각해야 된다.

자화수(磁化水)는 쉽게 만들 수 있다

누구나 심산유곡에서 흘러나오는 천연적인 자화수(磁化水)가 좋다는 것을 알고는 있으나, 요즘같이 바쁜 세상에 깊은 산을 찾는

다는 것은 쉬운 일이 아니다. 그리고 설령 그런 곳에 갈 시간이 있다 하더라도 요즘같이 '건강에 좋은 물이다'라고 메스콤에서 한번 떠들면 그곳은 인산인해를 이루어 얼마 후 오염된 물만 남게 될 뿐이다.

그런데, 이미 수질이 나쁜 외국에서 좋은 결과를 얻은 자하수기(磁化水器)를 우리나라에서도 개발하게 되어 국민보건에 크게 기여하게 되었는데, 매우 고무적인 사실이 아닐 수 없다.

사실상 우리가 지금 불신하고 기피하는 수돗물이나 임의로 지하수의 수맥에 파이프를 박아 뽑아 올려 먹는 지하수도 오염되기는 마찬가지다.

막연하게 수돗물보다 좋을 것이라고 생각되는 지하수에서 오히려 더 해로운 중금속이나 오염물질 또는 최근에 보도된 '가결핵성 여시니아균' 같은 세균들이 검출되고 있는 것이다.

하여튼 '가결핵성 여시니아균'이 서울의 도봉산 등지에서 검출되었는데, 야생 들쥐나 가축 등의 배설물에 오염된 지하수를 통해 여시니아균이 감염되면 고열과 복통, 심할 때는 신장질환 등의 후유증을 유발하므로 지하수 먹기가 이제는 무섭게 되었다.

우리나라에서 명산이 많다는 강원도의 경우, 심산유곡의 물을 포함해 지하수나 소위 약수터 등도 절반 이상이 오염되었다고 하니 참으로 개탄스런 일이다.

우리가 아껴야 할 상수원들은 바로 우리 몸이 섭취하는 물의 원천이므로 운명적으로 자업자득이라고 밖에 볼 수가 없는 것이다.

이제 우리는 수돗물이든 지하수든 자화수기(磁化水器)라는 특이한 기기를 이용하여 값싸고 건강에 좋은 물을 쉽게 마실 수 있게 되었다.

필자가 실제적으로 가정의 수도 파이프나 옥외에 설치된 지하수 파이프에 간단하게 자화수기만 설치했는데도 최고의 건강수가 되었고, 우리 국민들에게 자화수의 가치를 권장하기 위해 적극적으로 임상연구에 임했으며, '물도 최고의 약이 될 수 있다'라는 평범한 진리를 새삼 깨달았으므로 앞으로는 자화수가 인류 최대의 난치병인 암까지도 정복할 수 있다는 믿음을 가지고 연구에 정진할 계획이다.

자화수기의 미래

대학병원에 자주 가보신 분이라면 '자기공명영상장치(MRI)'라는 기계 이름을 들어본 적이 있을 것이다.

'자기공명영상장치'는 현재 임상적 이용이 날로 증가하고 있는 영상진단 분야의 최첨단을 걷고 있는데, 이에 대한 일반인들의 관심이 날로 높아지고 있고, 선진국은 물론 우리나라에서도 널리 이용될 전망이다.

그런데, 이러한 MRI장치가 무엇때문에 영상진단 분야에서 각광을 받고 있는가?

그 이유는 무엇보다도 자기(磁氣)를 이용하니까 방사선의 해로움이 전혀 없고, 인체의 생리적 현상 및 신진대사를 관찰할 수 있기 때문이다.

의료분야에서도 앞으로는 자기를 이용한 진단, 치료기기 등이 속속 개발될 것으로 예상되는데, 필자가 설명하고 있는 자화수기도 얼마 후에는 일종의 가정용 치료기기로 급속히 보급될 전망이다.

이와같이 자기를 이용해서 인류의 질병을 예방하고 치료하자는 흐름이 거세게 밀어 닥칠 것으로 예상되는데, 이는 대단히 바람직한 일이다.

앞으로 물을 자기처리시키는 자화수기를 더욱 개발시키게 되면 인류 역사상 물로써 암이나 AIDS 등도 치료할 수 있게 될 것으로 전망된다.

자화수의 효과를 가정에서 직접 확인해 보고 싶으면 pH 농도를 측정해 보거나 고구마, 양파, 무우 등을 2주일 정도만 키워 보면 바로 알 수 있다.
실제로 똑같은 조건에서 이들 식물들을 키워 본 결과 사진에서처럼 자화수로 키운 쪽의 성장이 약 30%정도 빠르게 나타나고 있다.

제 3 장

자화수로 고치는 각종 질환과 음용법

소화기계통 질환

변비(便秘)

대변을 2, 3일만 걸러도 몹시 불쾌한데, 심지어 1주일간 못 보는 경우 환자 본인이 아니면 그 고통을 도저히 이해할 수 없다.

변비란 대변을 볼때 힘들거나, 횟수가 드물거나 비정상적으로 변이 굳어진 경우를 말한다. 즉, 배변 횟수가 줄어들면 대변이 크고 굳어지며 대변을 보기가 더욱 힘들어지게 된다. 변비의 원인은 여러가지 많으나 여기서는 몇 가지만 언급하겠다.

젊은이들의 경우 흔해빠진 인스턴트식품, 육류의 선호, 운동 부족 등으로 변비가 많이 온다. 특히 젊은 여자들인 경우, 몸을 날씬하게 하기 위해 음식량을 형편없이 줄이고 과자 부스러기 따위로 허기를 면하다 보니 만성적으로 변비가 초래된다. 특히 이런 여자들이 임신을 하게 되면 더욱 변비가 악화되며, 분만 후부터 거의 평생 변비가 지속되어 다이어트를 후회하게 된다.

노인들에서는 우선 배변력의 감퇴와 연동운동의 저하 등이 많은 것을 알 수 있다.

그리고 최근에는 신경성 질환들이 많이 증가되고 있으므로 이에 따라 신경성 변비도 증가하는 추세에 있다.

그런데 우리 의학계가 크게 실수를 범하고 있는 점은, 변비의 원인중 물을 적게 섭취하는 것이 큰 비중을 차지하는 데도 이것을 너무 가볍게 여기고 있다는 것이다. 필자는 무엇보다도 물 섭취 부족을 첫째 원인으로 꼽고자 한다.

근본적인 치료란 질병의 원인을 제거하는 것인데 우리는 이걸 너무 소홀히 하는 것 같다.

정상적인 대변의 수분 함유량은 거의 70~80%에 달한다. 그러므로 이만큼 물이 대변에 많이 있어야 변을 보기가 쉬운 법이다.

필자는 갈수록 노령화 되어 가는 현대 사회에서 노인성 변비는 기하급수적으로 증가되리라고 예상한다. 그런데 일반적으로 의사나 약사들이 변비의 약물치료에 이용하는 약제로서,

첫째, 딱딱한 변을 연화시켜 배변하게 하는 연변완화제가 있는데, 장의 내용물과 혼합되어 변을 연하게 하고 장벽에 붙어 장벽을 미끄럽게 함으로써 배출을 용이하게 만든다.

약제로는 올리브유나 광유 등이 있고, 민간요법으로 들깨기름 등을 많이 복용하는데, 이 방법이 유효한 경우는 가벼운 변비 등에 효과적이나, 장기적으로 사용하면 지용성 비타민 영양의 흡수장애 등이 일어날 수 있고, 노인들은 다량 복용했을 경우, 오히려 기름이 폐로 들어가 지방성 및 흡인성 폐렴이 생길 수도 있으므로 조심해야 한다.

둘째, 장내에서 수분을 흡수해 변이 10~20배 정도 팽창되고 기

계적으로 장근총을 자극하여 유동 항진시키는 팽변완화제가 있는데, 여기에는 차전자와 센나열매 등이 함유된 아락실 같은 제품이 있다. 그런데 이러한 제제는 장관폐쇄의 경우 절대 사용하면 안된다.

셋째, 장에 흡수되지도 않고 장 내용물 중의 수분과 굳게 결합해 삼투압을 증대시키고 수분의 장내 흡수를 방지하며, 장 내용물을 액상으로 만들어 장 유동에 의해 쉽게 이동하게 하는 염류하제가 있는데, 흔히 쓰는 약제로 마그밀이라는 마그네슘 제제를 들 수 있다.

마지막으로 자극성 하제를 들 수 있는데 장의 운동을 증진시켜 설사를 일으키게 하며 일시적으로 변비를 해결케 한다.

여기에는 소장을 자극하는 피마자유 등과 대장을 자극하는 센나제제, 비사코틸제제 등이 있지만, 이들 약제들을 장기간 복용하면 저칼슘혈증이나 단백질소실장증, 대장염 등을 일으킬 수 있다.

또한 이와같은 약제를 남용하면 약 효과가 더욱 떨어지고 다른 약제를 써도 효과를 보기가 어렵다. 변비가 있다고 약국에 가 함부로 자극성 하제를 남용하지 말기를 여러분의 건강을 위해 부탁드린다.

그러면 자기처리된 물을 마시면 어떠한 작용기전에 의해 변비를 근본적으로 치료할 수 있는가를 살펴보겠다.

첫째로, 앞에서 설명한 바와 같이, 자화수가 장(腸)의 부족한 기(氣)를 전반적으로 보충하는 것이야말로 가장 중요한 작용이라 할 수 있다. 바로 자기팔찌나 자기매트리스를 사용하면 정체된 기(氣)

의 운행을 풀어 통증과 염증을 해소하는 원리와 같다고 보면 된다.

둘째, 자화수 특유의 살아있는 산소의 자극이다 이러한 산소는 장의 이상발효 때문에 생긴 부패한 장내 가스를 용이하게 방출시켜 자화수 치료 초기에는 걷잡을 수 없이 소위 방귀란 것이 많이 나온다.

또한 장점막의 혈액순환을 촉진시키고 장근신경총을 활성화 시켜 대장의 연동운동, 분절운동, 진자운동 등이 활발해질 것이다.

셋째로, 차가운 물이 가져다 주는 온도적 자극과 차가운 자화수일수록 알카리성 미네랄이 더욱 활성화 되어 장의 운동을 촉진시킨다는 것이다.

우리가 아침에 일어나 차가운 물을 한잔 내지 두잔을 마시게 되면 우선 뇌를 자극해 정신을 맑게 하고 위회장반사(胃回腸反射)와 위결장반사(胃結腸反射)가 일어나게 되어 회장과 결장 등이 반사적으로 운동을 활발히 시작하게 된다.

그리고 활성화 된 알칼리성 미네랄은 물론 장의 활동을 좋게 한다. 그리고 물의 양적인 자극 또한 무시할 수 없다. 물을 마시면 변비에 좋다는 사실은 모두가 인정하지만 맛이 없고, 미네랄마저 사라져 버린 끓인 물이나 기계적으로 정수된 물은 우선 많이 마시고 싶어도 구미가 당기지 않는 것이 문제다. 그런데 필자의 병원에 오셨던 50명 이상의 환자분들은 자화수는 우선 물맛이 살아있다고 이구동성으로 이야기를 하신다.

따라서 마시고 싶은 물인 자화수를 자주 마실수록 변비 완치에 좋다는 애기이다.

끝으로 자화수를 마셔 변비를 완치시키는 방법을 소개하겠다. 가장 고질적인 변비를 가진 사람 즉, 약이란 약을 모두 사용해도 안되고, 혹시나 해서 수입 알로에 원액이나 액상 요쿠르트를 먹어 봐도 또는 신문광고에 난 장세척을 해도 그때 뿐이지 지나면 다시 재발하는 분들은 하루에 자화수를 최소한 1.5ℓ 내지 2ℓ를 섭취해야 하고, 또한 심각한 간장해, 신장장해, 심장장해가 없다면 아무런 지장없이 마시고 배뇨할 수 있다.

변비가 심한 분은 아침에 그것도 가능한한 이른 아침에 차가운 자화수 2잔(1잔 용량은 우유컵 200㎖임)을 마시고 아침, 점심, 저녁식사 전후에 각 1잔, 그리고 취침 전 1잔을 꼭 마셔야 한다. 주기적으로 오후와 퇴근 전에도 2잔을 마시면 더욱 좋은데 하루에 최소한 2ℓ는 마셔야 한다.

그리고 초기에 변비해소 효과를 극대화시키기 위해서 아침, 점심, 저녁의 매 식전에 불에 볶은 천일염을 한 티스푼씩 먹고 자화수를 마셔야 한다. 소금을 일시적으로 초기에 먹는 이유는 장내의 삼투압을 증대시켜 장점막에 빼앗기지 않고 풍부한 수분을 장내에 유지시키기 위함이다.

위에서 이야기한 것처럼 정확하게 지키면 변비는 반드시 완치되며 그 효과는 빠르면 하루부터 일주일 이내에, 조금 늦어도 보름 이내에 믿을 수 없을 만큼 오래된 숙변(宿便)이 먼저 나오고 점차 황금색 변으로 변한다.

일단 매일 변을 보기 시작하면 3~4일 후에 소금 먹는 것을 끊어 버려도 된다.

그리고 점차 자기 라이프사이클에 맞도록 자화수의 먹는 방법을 증감하면 된다.

전국의 모든 변비 환자들이여! 제가 비록 전문의로서 서양의학식대로 치료를 하지만 현재의 상품화 된 약보다는 집에서 늘 부담 없이 마시는 자화수가 변비 치료에 월등히 탁월하다고 확신하며 기꺼이 권장하는 바이다.

과민성대장염

과민성대장염이 서구에서는 이미 감기 다음으로 흔한 질환이다. 그리고 소화기계통의 질환이면서도 최고로 빈도가 많다.

옛날에는 귀에 매우 생소하게 들렸던 이 질환이 왜 이렇게도 많이 증가 했을까? 아마 독자 여러분 중에는 아랫배가 늘 더부룩하고 불쾌해서 병원에 자주 가는 분들이 많을 것이다.

또 어떤 분들은 혹시나 대장암은 아닐까 하는 방정스런 생각이 자주 들어 '에라 죽을 때는 죽더라도 의사한테서 속시원한 이야기나 한번 들어보자'하고 잔뜩 긴장해 병원에 들어가 피검사를 한다, 대장 X-레이를 찍는 등 법석을 한창 떨고 난 후, 의사의 얘기를 들어보면 '대장 X-레이도 정상이고 단지 신경성으로 오는 것 같으니 너무 암에 대해 두려워하지 마십시오' 또는 '스트레스를 피하고 마음을 느긋하게 가져야 되며, 만약의 경우 직장도 옮겨야 한다'라고 아주 심각한 이야기를 하며 약을 철저히 복용하고 또 오라고 한다.

필자의 경험에서도 중소도시 보다는 대도시, 농촌보다는 도시, 남자보다는 여자, 노인보다는 장년층, 노동직 보다는 사무직 종사원들이 더 많이 이 질환을 호소함을 알 수 있다.

대개 이 질환에 잘 걸리는 사람들의 성격을 살펴보면, 아주 강박적이고 융통성이 결여되었거나 히스테리적인 성격이 많으며 완벽추구형들이 비교적 많다.

이 질환의 증상 중에서 가장 특징적인 것은 하복통인데 아침에 일어나서 식사를 하기 전에 갑자기 아랫배가 쑤룩쑤룩 기분 나쁠 정도로 아프며, 화장실로 곧장 달려가 변을 보면 대변은 형체가 뚜렷하지 않고 연필가닥처럼 가늘게 나오는 것이 보통이다.

한편, 가는 대변과 더불어 변비가 공존하는 경우도 상당히 있는데, 이런 경우의 변비를 어떤 의학자들은 '신경성변비'라고 부르고 있다.

고도의 산업사회에서 일에 쫓기면서 상승 욕구가 철저하고 남에게 뒤지면 안된다는 강박관념 또는 '대학에 못 들어가면 부모, 친구, 선생님께 어떻게 면목이 서나'하고 고민하는 수험생들의 이야기는 그리 간단하게 웃을 일이 아니다. 분명히 이야기 하자면, 이 질환이야말로 너무나 인위적인 질환이고 의사로서의 한계를 절실히 느끼기 때문에 차라리 이 지구의 문명생활을 박차버리고 원시시대로 돌아가 버리는 것이 현명할 것 같다는 생각이 들 때가 많다.

요사이 우리나라에 흔한 병치고 서양에서 수입되지 않은 것이 없을 정도다. 암, ADIS, 성인병, 공해병 등등…….

우리 사회의 한 병태생리를 대변하는 이 얄궂은 질병들은 이제 우리 생활에서 너무나도 깊숙한 위치를 차지하고 있으므로, 필자가 문명생활을 감히 포기하라고 까지는 단언할 수 없으나 이 질환으로 고통받는 분들을 근본적으로 치료되도록 도와드리고자 한다.

우리 국민들은 약 먹기를 너무나 좋아하는 것 같다. 외국과 합작한 우리나라 제약회사들이 해마다 그럴듯한 약들을 개발하여 생산, 판매하고 있는데 그 약효들은 대개 일시적이므로 스트레스 등을 받으면 다시 재발하게 되어 계속 약을 복용하게 된다.

그래서 결국 의사나 제약회사를 불신하게 되고, 민간요법 중에서 옻나무와 닭을 삶아 먹으면 고질적인 대장염에 좋다고 해서 먹었다가 대장염을 고치기는 커녕 오히려 옻 알레르기때문에 '가려워 죽겠다'고 호소하면서 빨리 주사를 놓아달라고 아우성치는 경우들을 흔히 본다.

참으로 딱한 실정이 아닐 수 없다.

무슨 이유로 약만 먹으려고 병원이나 약국을 찾아 헤매면서 적지 않은 돈을 허비하고 마는가?

여러분들이 고민하는 이 고질적인 대장염을 자화수로 치료한다고 하면 믿을 사람이 얼마나 되겠는가?

먼저 의학계와 약학계가 코웃음을 칠지도 모르겠다.

그러나 필자는 의학적으로 타당성이 충분하기 때문에 자신감을 가지고 주장할 수 있다.

실제로 본인을 포함해 20여명의 과민성대장증후군 환자들이 자화수를 먹기 시작한 후 빠르면 1주일부터 시작해서 대개 1개월 음용으로 95%라는 우수한 완치율을 나타냈다.

왜 자기처리된 물이 이다지도 탁월한 결과를 보여주었을까?

앞에서 변비 치료의 작용기전을 설명한 바와 같이, 조절 능력을 상실한 대장운동을 다시 정상적인 상태로 환원시키기 때문이다. 아마도 혼란에 빠진 부교감신경과 장근신경총을 조용하게 제기능을 다하도록 자화수가 조절 기능을 회복시켜 주는 것으로 해석하고 있다.

가장 흔한 '물'이라는 것이 이렇게도 좋은 약(?)이 될 줄을 독자 여러분은 실감할 수 있을까?

이제부터 무조건 물을 포함하여 자연을 사랑하자, 바로 이것이야말로 우리 몸을 건강하게 만들고 인위적인 고통에서 벗어나게 되는 지름길이다.

그러면 어떻게 자화수를 마셔야 효과적으로 과민성대장증후군을 몰아낼 수 있을까?

본 질환의 증세는 생체의 주기상(週期上) 아침에 특징적으로 많이 호소하게 되는데, 이유는 눈을 뜨자마자 셀러리맨들은 피로가 덜 풀린 채 출근시간에 쫓겨 스트레스를 받고 주부나 학생들도 역시 심리적으로 압박감을 받다보니 정신적, 신체적으로 과민해져서 대장이 긴장하기 시작하다 보면 조절 능력이 급격히 저하되면서 아랫배 통증을 주증세로 한 다양한 증상이 동반되어 고통을 받게 된다.

바로 이런 이유때문에 이 질환으로 고통받는 사람들은 일찍 취침한 후 여유있게 아침 일찍 일어나는 것이 바람직한 것이다.

베란다의 문을 열고 가슴을 활짝 열어 제친 다음 새벽의 시원한 공기를 들어 마신 후, 너무 차갑지 않을 정도, 즉 상온 10℃정도의 자화수를 조금씩 음미하며 마시는 것이 제일 중요하다. 또, 물 한 모금을 마신 후에는 단전호흡을 함으로써 더욱 여유를 가질 수 있는데, 숨을 반드시 코로 들이마시면서 동시에 아랫배를 풍선 부풀리듯이 쑥 내민다.

그런 다음 몸 안에 있는 온갖 노폐물과 사악한 기운을 내뱉어 버린다는 생각을 하면서 입으로 숨을 천천히 품어내면 된다.

위와 같은 방법을 서너차례 반복하면서 자화수 1잔 정도를 아주 기분 좋게 마시게 되면 마치 '아침은 내 것이다'라는 기분이 들어 풋풋한 마음으로 출근할 수 있다. 최근 기업체에서 조기출근 새바람이 불고 있는데 출근 전 아침에 자화수 1잔씩 마심으로써 이 질환은 반드시 완치시킬 수 있으리라.

자! 우리 샐러리맨들 힘내시오! 과민성대장염 정도는 자화수로 충분히 몰아낼 수 있으니까.

위무력증, 신경성위염

직장 동료들이나 친지들의 모임이 있게 되면 대부분 회식하는 기회를 갖게 된다.

오래간만에 만난 친구들과 이야기하다 보면 음식도 과식하게 되고 술도 과음하게 되는 경우가 어쩔 수 없이 많다.

이때 문제가 되는 것이 있는데, 평소에 자기의 위장이 비교적 튼튼하다고 자신하는 사람들은 주위 사람들이 보기에도 부러운 정도로 게걸스럽게 먹다가 결국에 체하여 약국이나 병원에 가서 약을 먹거나 주사를 맞게 된다는 점이다. 그러나 혼이 난 그때 뿐이지 또 시간이 흐르면 과식으로 체하게 되는 악순환이 반복된다.

즉, 평소에 위장이 튼튼하던 사람들도 체하는 경우가 계속 반복되면 위무력증이나 위하수증에 걸리기 쉽다.

한편, 복잡하고 바쁜 나날이 계속되는 우리 현대인들은 업무상, 가정상, 사업상 과다한 스트레스를 많이 받기 마련이다. 이와같이 정신적인 스트레스를 많이 받는 사람이 스트레스를 적절한 방법으로 해소하지 못하면 위장질환 중에서도 가장 흔한 신경성위염에 걸리는 경우가 많다.

이 신경성위염은 의학적으로 정확한 용어는 아니지만 널리 쓰이는 용어이며, 의학자들은 기능성 위장장애(FGID)라는 용어를 잘 쓴다.

신경성위염이라고 진단되는 경우, 위내시경검사를 받아도 아무런 이상이 없고 소화불량, 속쓰림, 식후 상복부 불쾌감, 공복시 상복부 통증 등을 호소하거나, 위장관 운동성 검사를 해봐도 위 및 십이지장의 운동성이 다소 감소되어 있을 뿐인 경우가 많다. 또한 위 내용물의 배출시간 검사를 해보면 약간 지연되어 있는 수가 많다.

아마도 40대 이상의 시청자 중에서, TV를 보다가 자기와 같은 증상으로 앓던 사람들이 위암이라고 진단을 받으면 당황한 나머지 종합병원으로 달려가서 종합건강진단을 받게 된다. 이때는 지지리도 하기 싫은 내시경검사를 받아야 하는데 한번 받아 본 사람은 다시 받기를 꺼려 할 정도다. 우리 의학계는 차제에 내시경검사를 대체할 수 있는 의료 장비를 개발해 내어야 할 것 같다.

사실 현재는 위무력증을 기능성 위장애와 다른 것으로 설명하고 있지만, 넓은 의미로 보면 기능성 위장장애에 포함된다고 할 수 있다.

이 병에 잘 걸리는 분들은 앞에서 설명한 것처럼 직업이나 가정 또는 사회생활에서 오는 초조함, 불안감, 우울 등이 문제가 되는데, 요즘과 같이 3분 진료가 유행인 추세에서 언제 의사가 이러한 환자와 충분히 이야기할 수가 있겠느냐는 것이 바로 우리 의사들이나 환자들의 고민이다.

그리고 심한 경우 신경안정제까지 처방해야 하는데 이것을 장기간 복용하는 것은 환자 스스로 목에 올가미를 씌우는 격이다.

음식을 먹을 때, 제일 조심해야 될 점은 과식을 절대 피하라는 것이다.

하여튼 음식을 먹을 때는 여유를 가지고 천천히 먹으며 음악을 듣거나 서로 재미있는 이야기를 하면서 먹는 것이 가장 바람직하다.

위산이 많이 분비되어 속이 쓰릴 경우가 많고 위장관 운동의 둔화로 식후 불쾌감이 많으면, 제산제나 위산분비 억제제 또는 소화제나 위장관 운동촉진제 등을 복용하게 된다.

그런데 신경성위염이라는 것은 흔히 발생되는 것이므로 언제까지 계속 약을 복용하느냐가 문제인 것이다.

약의 복용이 지긋 지긋하다면 매일 식전 30분마다 자화수 1잔 정도를 아주 천천히 마셔보기 바란다. 곧 멀지 않아 위장의 기능이 놀랄 정도로 향상되고, 위산 분비의 과잉에서 오는 여러가지 증상들도 해소될 수 있을 것이다.

이 지구상에서 우리나라 만큼 소화제나 제산제를 많이 복용하는 나라도 드물 것이다.

여러분이 조금 피곤하고 소화불량 때문에 약국을 찾았을 때, 어떤 곳에서는 서비스로 드링크 1병과 영양제 캅셀을 제공받는 경우가 많을 것이다.

아마 독자 여러분들 중 상당수는 무심코 받아먹고 소화제를 싸들고 갈 것이다. 약물의 남용은 참으로 개탄스러운 일이 아닐 수 없다.

약의 남용과 오용이 유별나게 많은 우리나라에서 약보다도 자화수를 많이 마셔 위장병 천국(?)의 나라라는 오명을 하루빨리 벗게 하고 싶은 것이 필자의 솔직한 심정이다.

위 · 십이지장궤양

위궤양이나 십이지장궤양이 일반인에게 알려진 지는 상당히 오래된다. 과거에 비해 이들 궤양이 최근에 많이 증가된 이유는 무엇일까?

오늘날에는 위내시경 등의 첨단적인 진단기술 발달로 궤양을 조기에 많이 발견하고 있는 추세이다.

이들 궤양을 유발시키는 요인들을 살펴볼 때, 과식·과음·정신적인 스트레스를 지적할 수 있다. 위산의 분비가 증가되고 위장점막의 방어력 저하를 지적할 수 있다.

또한, 궤양을 유발시키는 약품이 최근에 판매되고 있으므로 이에 대한 독자 여러분들의 경계심을 환기한다는 뜻에서 몇가지 실례를 들어보겠다.

여기에는 스테로이드라고 하는 부신피질호르몬이나 비스테로이드성 소염제제가 대체적으로 많은 편인데, 관절염의 치료에서 의사나 약사들이 많이 쓰고 있으므로 궤양 발생이나 악화에 유의해야 한다.

다음으로는 농도가 진한 알콜이나 아스피린 제제들인데 결국 이들 약품들의 남용을 피하기만 하면 궤양발생이나 악화를 사전에 예방할 수 있다.

그런데, 특히 십이지장궤양에는 유전적인 소인이 많이 작용하는 것으로 알려져 있다. 그리고 음식 중에서는 짜고 매운 것들이 대체적으로 궤양의 한 요인이 되는 것으로 알려지고 있다.

또한 커피나 담배 등도 원인의 한가지로 인정되고 있다.

소화성궤양이라는 말을 의학계에서는 잘 쓰는데, 정상적인 위장과 십이지장은 소위 위장 점막의 충격인자와 방어인자가 멋진 균형을 이루기 때문에 궤양이 생길 소지가 없으나, 궤양이 되는 것은 자기 자신이 분비하는 위산, 펩신, 가스트린 등의 공격인자가 점액층, 점막조직의 혈액순환, 점막세포의 재생력 등과 같은 방어인자보다 훨씬 우위에 있을 때인 것이다.

위궤양이나 십이지장궤양에는 특징적인 증상이 없지만, 간혹 공복시는 상복부에 통증이 있기 때문에 애를 먹기도 한다. 그러나 요즈음는 궤양 치료제로 우수한 것들이 많이 나오므로 크게 걱정할 것은 없다.

단기적으로 2~3개월간 약물치료를 철저히 하면 궤양이 쉽게 치료되는데, 문제는 이른바 재발성 소화성궤양이다. 대체로 십이지장궤양의 재발이 위궤양보다는 통계적으로 많은데, 아마도 십이지장궤양은 유전적 소인이 강하게 작용할 뿐만 아니라 같은 스트레스를 받아도 위산분비가 훨씬 많기 때문인 것으로 풀이된다.

최근에는 '헬리코박터 파일로리'라는 세균이 소화성 궤양의 새로운 원인으로 부각되고 있는데, 대학병원 등에서 비스무스제제, 항생제 등을 복합적으로 사용하여 매우 높은 치유율을 보이고 있다.

그러면, 자화수가 궤양 치료에 어떤 도움을 주는가?

자화수는 확실히 점막조직 내의 미세순환을 촉진시킬 뿐만 아니라 궤양 조직을 수렴화(收斂化)시킨다.

또한 자화수의 살균력이 전술한 '헬리코박터 파일로리균'의 작용을 억제하는 여부도 앞으로의 연구과제가 될 것이다. 그리고 자화수를 마시면 궤양의 공격인자인 위산을 희석시킨다는 점에서 제산제의 중화 효과와 동일하다고 볼 수 있다.

한편, 새벽녘에 돌연히 나타난 아픈 상복부 통증을 감쪽같이 해소하는 데는 자화수가 마치 특효약처럼 작용한다.

흔히, 자기 전에 물 대신 우유를 추천하는 사람들이 있는데 이는 명백히 오류를 범하고 있는 것이다. 왜냐하면, 우유 자체가 칼슘을 포함한 알칼리여서 위산을 중화시킨다고 생각하기 쉽지만 그 중화 효과는 일시적일 뿐 오히려 반사적으로 위산을 더 분비시킬 뿐만 아니라, 단백질이 풍부하기 때문에 이를 소화시키려고 펩신이 계속 분비되어 역효과가 빚어진다.

따라서 취침하기 전에 무얼 마실려거든 우유 대신 자화수 같은 수분을 섭취하는 것이 궤양 관리에 훨씬 도움이 된다는 점을 명심하기 바란다.

설사

설사를 할 경우, 충분한 물을 보충해 주는 것이 최상의 치료이다.

설사는 잘 흡수되지 않는 물질을 먹어서 생기는 삼투성 설사와 세균때문에 생기는 분비성 설사로 크게 나누어지는데, 병원에 가서 치료한다고 해도 결국은 0.9%의 나트륨이 함유된 물에 포도당으로 분해되는 덱스트로스 같은 당을 넣은 수액을 맞을 뿐이다.

결국은 물과 더불어 빠져나간 전해질인 나트륨이나 칼륨 등을 보충만 해주면 설사에 따른 탈수증은 무난히 예방, 치료하게 된다.

우리 몸에서 물과 전해질이 다량 부족해지면 심장박동 장애나 근육경련, 의식장애 등이 일어나며, 5% 이상의 탈수만 생겨도 신체의 생리반응에서 무질서가 나타난다.

사실상 설사라는 것은 인체의 정상적인 생리반응으로 볼 수 있는데 장내의 해로운 독소나 분비물과 세균 등을 체외 밖으로 배출시키므로 인체의 생리를 정상적으로 회복시킨다.

그런데 설사할 경우, 가정에서 간단하게 치료하는 방법이 있다.

지나치게 차갑지 않은 자화수에 설탕이나 꿀 그리고 깨끗한 천일염을 1~2 티스푼 혼합하여 조금씩 자주 마시면 설사는 즉시 끝난다.

그런데 여기서 명심해야 할 사항은 설사가 난다고 함부로 지사제를 사먹으면 안 된다는 것이다. 그 이유는 세균성 설사인 경우, 지사제를 먹게 되면 세균과 독소 등이 장내에서 계속 축적되어 패혈증 같은 무서운 합병증을 가져올 수 있기 때문이다.

여하튼 설사 자체는 두려워 할 필요가 없는 일종의 신체방어 작용이므로 미네랄이 적절하게 함유된 깨끗한 물을 자주 마시는 것이 최상의 치료이다. 그리고 이와 함께 기름기가 많은 음식이나 섬유질이 많은 야채를 먹지 말아야 한다.

호흡기계통 질환

감기, 급·만성기관지염

감기는 가장 흔한 급성질환으로 1년 중에 성인은 평균 2~4회, 어린이들은 6~8회 정도 걸릴 수 있다.

감기 가운데는 가장 심한 증상이 나타나는 독감이 있는데, 이의 원인으로 인플루엔자 바이러스가 약 85% 정도 차지한다.

독감은 대개 계절적으로 늦가을에서 초봄까지 크게 유행하는데 노약자나 2세 이상의 어린이들은 독감 예방백신을 맞는 것이 어느 정도 도움이 될 수 있다. 대개 독감을 포함한 감기 바이러스는 차고 건조한 기후 조건을 좋아하므로 이를 예방 및 치료하려면 우선 따뜻하게 보온이 잘되는 환경에서 실내 습도를 충분히 유지하고 물을 자주 마시는 것이 좋다. 물론 자화수를 마시면 더욱 좋다.

구강점막이나 비강점막 등이 건조할수록 점막의 저항력이 약해지므로 바이러스가 침입하면 기승을 부리기 쉬우므로 늘 충분히 수분을 섭취하는 것이 중요하다.

즉, 자화수 같은 물을 마심으로써 바이러스를 이길 수 있는 저항력을 기르자는 것이다. 감기는 만병의 근원이므로 미리 미리 감기를 철저히 예방하는 것이 현명하다. 또한 감기가 1주일 이상 낫지 않고 계속되면 기관지염에 잘 걸리며 심하면 폐렴까지 동반될 가능성이 있다.

기관과 기관지에는 객담을 잘 배출하게 하는 섬모운동이 활발한데 이 섬모는 적절한 습도가 유지될 때 활동력이 가장 효과적이다.

그래서 자화수를 자주 마시면 평소 잘 나오지 않는 가래도 기침 한번씩 할 때마다 잘 배출된다.

이처럼 싸고 좋은 거담제[가래를 배출시키는 약]가 또 어디 있단 말인가? 하여튼 감기가 오래되어 기관지가 좋지 않을 때, 자화수를 자주 소량씩 마시게 되면 기관지가 보호된다.

감기를 잘 예방하면 어린이들에게 흔한 폐렴이나 축농증도 아울러 예방할 수 있다.

기관지 천식

기관지 천식이라 함은 여러가지 자극에 의해 기관지가 이상과민성을 보여 기도점막에서 염증이 생기고, 기관지평활근의 과잉수축으로, 특히 기온이 내려가는 새벽녘에 격심한 호흡곤란과 기침 그리고 천명(쌕쌕거림)을 호소하는 질환이다. 그 원인은 역시 알레르기인데, 유발인자로서는 대기오염, 꽃가루, 동물의 털이나 비듬, 화학성 조미료 등을 들 수 있다.

천식은 계절적으로 볼때 환절기에 많이 발병되며, 특히 대기오염이 심하고 먼지가 많이 나는 지역에서 극심하다.

천식을 예방하기 위해서는 소극적인 방법으로 사람들이 많고 혼잡한 곳은 피하거나 공기 좋은 시골로 이사를 가는 것이 좋다. 그런데 최근에 천식을 치료하는 방법으로서 기존의 기관지확장제 말고 탈감작(脫感作)요법 즉, 천식을 유발하는 물질을 이용해 약자극부터 강자극으로 높여 치료하는 방법이 꽤 효과를 거두고 있으나, 아직 안전한 치료법이라는 볼 수 없다.

기관지 천식은 약한 자극에 너무 예민하게 반응을 나타내는 질병이므로 근본적인 체질개선을 도모하는 것이 가장 바람직하다.

천식의 발작은 가장 빈도가 적고 습도가 높은 여름철 차가운 물속에서 수영을 열심히 하면 차가운 온도 자극이 신체의 저항력을 증진시킬 뿐만 아니라 기관지에서 평활근의 반응성을 점진적으로 정상화 시킬 수 있다.

실제로 유년기 때, 천식으로 고생하던 어린이가 성인이 되면 천식이 완전히 사라지는 경우가 많은데 이것은 결코 우연한 일이 아니다.

체력을 단련시키는 운동을 통하거나, 또는 인공첨가물이 없는 자연 그대로의 음식을 먹어 체질이 개선되면 천식이 완치되는 것이다.

그리고 차가운 6각수인 자화수를 마시고 차가운 자화수로 목욕을 하게 되면 기관지의 평활근은 긴장이 완화되는데, 이것을 계속적으로 반복하면 평활근도 부드럽게 수축과 이완을 반복하게 된다.

또한 차가운 자화수를 자주 마시면 객담을 쉽게 배출할 수 있게 된다. 그리고 혹시라도 발작을 하게 될 경우, 심하게 땀을 흘리면 탈수의 위험에 이르게 되므로 물의 보충은 대단히 중요한 것이다.

하여튼 천식환자들에게 있어서 기관지확장제 흡입기[예를들면 베로텍에어퍼프]를 이 지구상에서 완전히 추방하게 되는 날도 멀지 않아 올 것으로 확신한다.

폐암 예방

세계보건기구(WHO)는 수년 전부터 담배가 인체에 미치는 해독성을 경고하고 있다.

특히 세계적으로 폐암의 발병률이 급증하는 추세이기 때문에 WHO의 경고는 매우 시의적절한 것이기도 했다.

현재 이 시간에도 폐암 환자들은 중환자실에서 인공호흡기를 달고 그야말로 시한부 인생을 살면서 사투를 벌이고 있다. 이미 선진국에서는 흡연이 폐암의 첫번째 원인일 뿐만 아니라 폐암이 전체 암의 발생률에 있어서 계속 선두를 달리고 있다는 사실을 명심하길 바란다.

그래서 선진국의 보건 당국자들은 흡연의 유해성을 대대적으로 국민들에게 알리고, 또한 민간 금연단체들도 적극적으로 활동하여 선진국의 흡연율은 계속 떨어지는데 비해 아시아나 아프리카, 심지어 우리나라의 흡연률은 오히려 증가하는 추세이다.

선진국은 산업폐기물을 후진국에 수출해 돈을 챙기고 이제는 담배마저 수출하여 돈을 버는데 열을 올리고 있다. 자국민의 이익을 위해서라면 이미 도덕적 불감증에 걸린 선진국들은 무엇이든지 서슴치 않고 팔아먹을려고 광분하고 있는 실정이다. 우리 국민들도 이제는 정신을 차려야만 할 때인 것 같다.

참고적으로 우리나라의 폐암 증가율이 최근에 급증하여 증가율 1위을 차지하고 있는데, 실제적으로 문제가 되는 것은 여성들과 청소년들의 흡연율이 증가하면서 여성들의 폐암 발병률이 주목할 정도로 늘어나고 있다는 사실이다.

폐암을 조직학적 측면에서 보면 기관지성 암이 가장 많은데 이 기관지성 암의 최대 원인이 바로 흡연이다.

물론, 폐암의 원인 중에 날로 심해지는 대기오염도 무시할 수 없지만 역시 흡연이 수위를 달리고 있고, 흡연을 오래하면 할수록 니코틴의 신체 의존성이 문제가 된다.

담배를 피우면서도 흡연자의 대부분은 '설만 내가 폐암에 걸려 죽겠는가?'라고 막연하게 생각하는 것이 가장 큰 함정이며, 구체적으로 나의 죽음을 심각하게 생각하지 않는다는 것이다.

담배를 끊기란 사실상 쉽지는 않다. 그러나 니코틴 중독은 마약중독에 비할 때 중독성의 강도가 아무것도 아니다. 그만큼 끊기가 쉽다는 이야기이다.

담배를 끊기 위해서 여러가지 방법들이 동원되는데 가장 중요한 것은 자신의 의지이다.

필자가 병원 외래에서 금연상담실을 운영하면서 느끼게 되는 점인데, 금연의 필요성을 느끼는 분들의 의지도 좋고, 요즈음 시판

되는 괜찮은 니코틴팻치(금연을 위해 니코틴의 혈중 농도를 점차적으로 줄여 주는 반창고의 일종)도 붙이지만 금연한 지 두달도 못되어 또 다시 담배를 손에 쥐게 될 때는 허탈감을 자아내기도 한다.

문제는 흡연의 습관성이다. 습관성만 극복할 수 있다면 담배는 끊은 것과 마찬가지다.

필자가 금연상담실을 운영하면서 성공적으로 금연을 이룩한 가장 근본적인 노하우를 한가지 공개하겠다.

전술한 바와 같이 흡연의 습관성을 극복하기 위해서는 뭐니 뭐니해도 물을 자주 마시는 일이 가장 중요하다.

즉, 핏속의 니코틴 농도를 효과적으로 줄이는 데는 물만큼 좋은 것이 없다는 것이 필자의 확신이다.

흡연의 습관성은 대개 두가지로 나뉘는데, 하나는 혈중니코틴이 대뇌에 미치는 영향이다. 즉 담배를 피워서 핏속에 들어온 니코틴의 농도가 어느 한계점에 도달하면 대뇌가 이를 감지하여 흡연을 유혹한다.

또 다른 하나의 습관성으로는 심리적 의존을 들 수 있다. 예컨데, 식사 후에 꼭 담배를 피우는 사람들은 그 맛이 그렇게 좋을 수 없다고 하는데 이와 견줄 수 있는 습관으로 식사 후에 꼭 과일을 깎아먹는 소위 서양식 디저트를 꼽을 수 있다.

아니 식후에 배가 부를만큼 부른데 무슨 과일 먹기인가? 어떤 이들은 소화를 돕기 위해 먹는다고 이야기를 하지만 아무래도 심심함을 달래려고 먹는 것 같다.

식후에 담배 맛이 좋은 것은 그때쯤 떨어진 혈중의 니코틴농도를 보충을 해야 할 시점일 가능성이 더욱 높기 때문이다. 또한 앞에 말씀드린 디저트나 커피 마시기처럼 담배 피우는 것도 식후의 심심함이나 허전함을 달래고 싶은 자기위안 심리일 뿐이다.

만약 입과 두 손이 없다면 거의 대부분 담배를 피우지 않을 것이다.

바로 이것이 금연의 핵심이다.

담배를 끊을 때는 수시로 맛있는 물 자화수를 마셔봄이 어떨까?

흡연은 손보다 입을 더 만족시키는 습관 행위이므로 자주 건강수인 자화수를 마시다 보면 물잔을 입에 댐으로써 입의 심심함을 덜어주고 물을 통해 혈중 니코틴의 배출이 빨라지게 된다.

또한 오랫동안 건강한 몸으로 살고 싶기 때문에 금연을 시도하는데 건강을 향상시키는 물인 자화수를 자주 마시게 되면 더욱 금상첨화가 아닌가?

우리 독자들께서 만약 담배를 성공적으로 끊고자 한다면 가장 고통스러운 시기인 금단 증상이 나타날 시기를 잘 극복해야 하는데, 혈중 니코틴이 모두 배출되기 전의 2~5일 정도에서 만약 자화수 같은 물을 빈번히 마시게 되면 이 기간을 훨씬 짧게 단축시킬 수 있다.

바로 이 시기를 물을 마셔 지혜롭게 이겨낸다면 드디어 금연에 성공하게 될 것이다.

그래서 금연에 성공하면 폐암에 걸릴 가능성은 절반이상으로 감소된 것과 다름이 없다.

근육·골격계통 질환

통풍성 관절염

근래 우리나라에서도 '통풍'이란 질병 이름을 자주 듣게 되었다. 또한 텔레비전의 건강상담 프로그램에서도 옛날에 비해 '통풍' 또는 통풍성 관절염이란 말을 의사들이 많이 언급하는 걸 보면서 세상이 많이 변했다고 생각하게 된다.

여기서 먼저 '통풍'이라는 질병의 정의와 외국의 발병률 그리고 간단하나마 병태생리(病態生理)를 설명해야 '통풍성 관절염'을 쉽게 이해할 수 있을 것 같다.

'통풍'이라는 병은 요산혈증(尿酸血症)이 선천적 혹은 후천적으로 나타나면서 급성 관절염이 계속 재발되는 특성이 있으며, 요로결석이나 만성 신장병이 병발하기도 하는 것이다.

참고적으로 발병률을 보면, 유럽과 미국에서는 0.13~0.37% 정도인데 미국에 이민을 온 일본인과 필리핀인들은 본국의 국민과 비교해 볼때, 통풍이 월등히 많고 유럽에서는 전쟁동안 통풍의 발생이 급격히 감소한 점으로 보아 음식중의 단백질 섭취가 통풍의 발생과 매우 연관성이 높은 것으로 보인다.

또한 통풍 환자의 6～18%에서 가족력이 있으며 발생 위험도는 연령이 증가함에 따라 높아진다.

사람의 체액 속에 용해되어 있는 요산은 독성이 없지만 요산의 결정체는 체내에서 염증반응을 일으키는 독성이 있다. 요산의 용해도는 체온과 PH(수소이온 농도)에 의해 좌우되는데 무릎이나 발목 그리고 발가락에서는 체온이 각각 32℃, 29℃ 또 그 이하이므로 요산의 농도가 7㎎/dℓ 이상이면 결정체 상태가 되어 통풍성 관절염 등을 일으킨다.

고(高)요산혈증은 음식중의 푸린(purine) 섭취가 많거나, 체내의 푸린대사 과정 중에 많이 생산되는 경우와 요산의 파괴 및 배설이 잘 안되는 경우에 생길 수 있다.

요산결정체나 통풍성 관절염을 일으키는 유발인자가 무엇인지는 불확실하나, 외상을 받으면 결정이 관절액 내에 퍼지게 되고 관절내 삼출액이 분비되면서 물의 흡수가 증가되어 요산이 과포화되면 더욱 쉽게 결정체가 형성된다고 생각된다.

급성 통풍성 관절염은 주로 하지에서 발생하는데, 처음 발생의 75～90%는 하나의 관절을 침범하고 50% 이상에서 엄지발가락의 관절에 염증이 생긴다.

주로 잠을 자는 도중에 통증을 느끼는 경우가 많으며 음주・외상・수술・과식・감염・운동 후에 자주 발생하는 경향이 있다.

최초로 관절염이 발생하는 경우, 대개 저절로 낫고 수시간 내지 수일이면 통증이 사라지며 피부는 각질화 되어 흐물흐물 벗겨진다.

지금 댁에서는 어떤 물을 사용하고 계십니까?
물이 좋아야 건강과 피부가 좋아집니다.

자화육각수기로 직접 체험해 보십시오!

식수

- 물분자가 인체의 세포조직이 가장 좋아하는 육각형의 고리구조로 변하여 당뇨, 변비등에 좋습니다..
- 암, 당뇨, 고혈압, 신장결석, 변비, 무좀등 임상시험 85% 이상 효과
- 체내의 흡수율을 높여 신진대사 작용을 도와 건강에 많은 도움을 줍니다.
- 염소냄새를 제거 완화시켜 줍니다.
- 유아의 분유를 효과적으로 흡수하게 만들어 줍니다.
- 음주후 2~3잔 마시면 숙취에 좋습니다.

욕실에서

- 연약한 아이피부를 보호합니다.
- 아토피 피부염에 효과적입니다.
- 온천수처럼 부드러운 느낌을 줍니다.
- 비듬, 무좀에 효과적입니다.
- 탈모예방에 효과적입니다.
- 머리결이 부드러워집니다.
- 화장이 잘 받습니다.
- 항균 제균작용으로 위생적입니다.
- 물때가 끼지 않습니다.
- 배수구에 점착물이 없어지고 악취가 없어집니다.

주방에서

- 주부습진에 효과적 입니다.
- 설겆이가 잘되며 기름이 잘지워집니다.
- 컵이나 식기에 물때가 남지 않습니다.
- 야채, 음식 신선도를 오래 유지합니다.
- 중금속, 농약제거 효과가 있습니다.
- 커피맛이 부드럽고 순해집니다.
- 밥맛이 좋아지고 윤기가 흐릅니다.

세탁시

- 세탁기의 곰팡이 등을 없애 줍니다.
- 세재를 반이상 줄여도 깨끗한 빨래가 됩니다.
- 표백효과가 있습니다.
- 섬유제를 반이상 줄여도 빨래가 뽀송 뽀송해집니다.

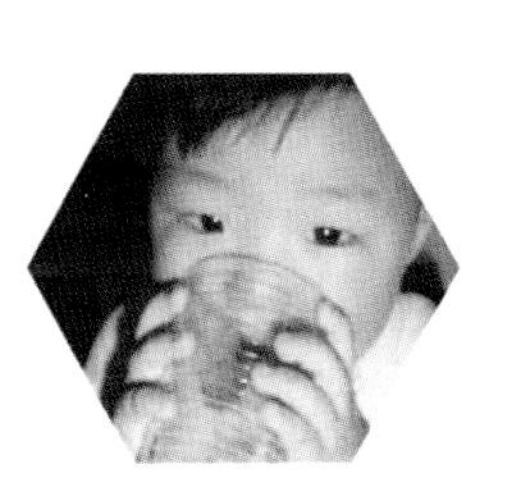

자기처리와 원적외선의 작용으로 만들어진 자화육각수

생명의 물, 신비의 물

자화육각수란 무엇인가?

자화육각수는 특수자석의 N극과 S극이 대칭된 사이로 물을 통과시키면 물의 분자구조가 이온 활성화 되어 산소농도가 최고 6배나 많은 인체에 유익한 **6각형 구조(자화육각수)**로 변환된 **생체활성기능수**를 말합니다.

자화처리된 이 물**(자화육각수)**은 신진대사를 촉진시키고 체질을 개선시켜 다이어트 · 변비 · 피부미용 및 성인병 예방 등에 탁월한 효과 있다고 알려져 있습니다. 살아있는 산소와 자기(磁氣)가 만나 **온 가족의 건강과 아름다움을 지켜주는 자화육각수**의 놀라운 효과를 직접 체험해 보십시오.

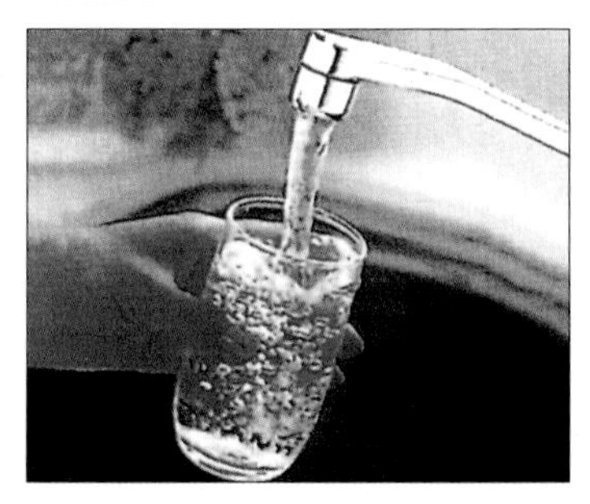

■ 식수

자화육각수

자화육각수기를 통과한 식수는 각종 중금속과 오염물질 제거는 물론 세균까지 멸균시키는 시스템을 거친 산소가 풍부한 자화육각수입니다.

■ 주방

기름기 제거, 신선도 유지

- 그릇 세척시 기름기 제거
- 야채 · 생선의 신선도 유지
- 밥맛이 좋아짐
- 생활용수 및 세제 절감

■ 욕실

자화육각수로 목욕

- 온천욕을 한 것처럼 피부가 매끄러워 머리결이 윤택하고 부드러워집니다.

■ 세탁기

빨래를 삶지 않아도 됩니다!

- 세탁물을 삶지 않아도 되며, 세제절감 효과 및 표백 효과 상승

···자화육각수를 아십니까?

■화단(베란다)
화초 및 특수작물 생장 촉진
구 소련의 '과학아카데미 생물활성물질 연구소'에서 자화수의 효과 직접 실험–식물 성장촉진 및 꽃의 장기화, 잎과 줄기가 생생하고 튼튼해지는 것을 확인.

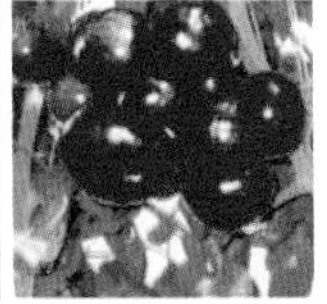

■성장실험
왼쪽은 일반 수도물로, 오른쪽은 자화육각수 물로 재배한 방울토마토로서 성장비율이 약 3배 정도 해당.

귀하는 지금 어떤 물을 사용하고 계십니까?

지금, 농·축산 및 특용작물 재배현장에서 자화육각수 혁명이 일어나고 있습니다!

축산·양계·양돈 등에
- 고효율의 성장촉진 · 육질향상 · 체중증가
- 착유량 증가 및 체세포 감소
- 산란율 증가 및 폐사율 감소
- 멸균효과로 인한 수인성 설사 등 예방

화훼·난 등에
- 약해진 뿌리와 줄기의 성장촉진 및 생장촉진
- 백견병 등 곰팡이균에 대한 원인적 치료 및 내병성 증대

벼·과수·채소·특용작물에
- 발아율 증가 및 성장촉진
- 과채류의 농도증가 및 낙과감소, 수확량 증가, 신선도 유지
- 수경재배시 조류나 슬러지 방지

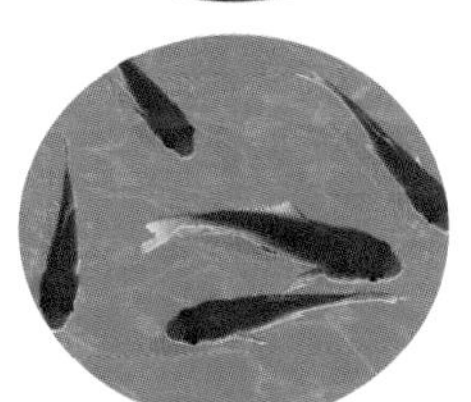

활어·수족관·양어장 등에
- 어류의 육질향상 및 신선도 유지
- 어류의 폐사율 감소 및 활동량 증가

아직도 정수기, 연수기를 사용하십니까?

이젠 달라져야 합니다. 가정의 모든물(수도물)을 육각수로 바꾸어 드립니다.

자화육각수기의 장점!

- 수도계량기에 설치 온집안의 물을 인체 세포조직이 가장 좋아하는 육각수로 만들어 줍니다.
- 집안의 수돗물을 생수 및 정수기 필요없이 안심하게 마실수 있습니다.
- 아토피성 피부염, 당뇨 변비에 효과적입니다.
- 한번 설치로 수명이 반영구적이며 고장이 없습니다.
- 필터교환, 소금재생등 추가비용이 없습니다.
- 물의 용해력, 침투력, 세정력이 뛰어납니다.

자화육각수의 원리

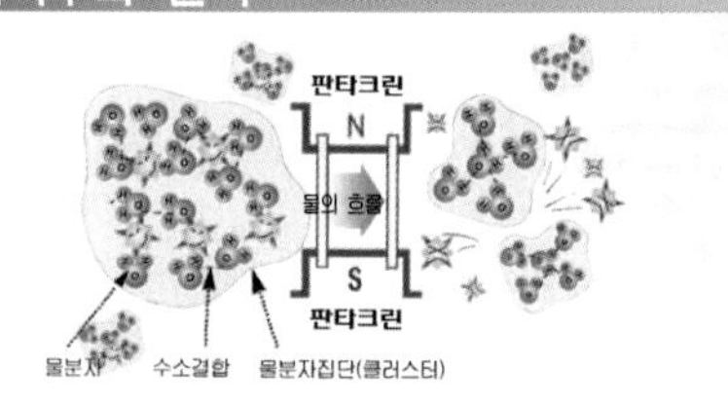

물이 자화육각수기기를 통과할때 강력한 자기장에 너지로 물의 분자가 6각형 고리구조로 세분화되어 세정력, 용해력 침투력, 항균력이 뛰어난 물의 본래의 기능으로 만들어 드립니다.

자화육각수기의 효능

- 살균 및 향균 효과

신비로운 자화 육각수 결정체

- 건강한 식수
- 위생적인 욕실
- 청결한 화장실
- 깨끗한 주방
- 깨끗한 빨래

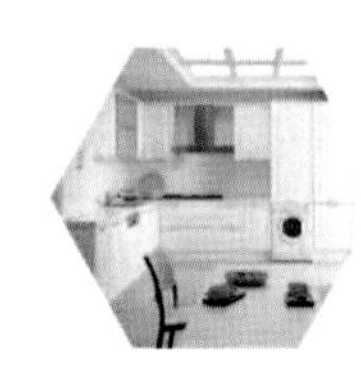

지금 가정의 모든 물을 건강한 육각수로 바꾸어 드립니다!

재발율은 발병 후, 1년내 62%, 1~2년 사이에는 16%이고 그리고 7%정도는 영원히 재발되지 않는다고 한다.

급성 관절염을 치료하기 위해서는 우선 염증이 있는 관절을 움직이지 않게 하고 소염제를 사용한다. 소염제로는 콜히친, 비(非)스테로이드성 소염제, 스테로이드제제 등이 있는데 콜히친은 특히 유일하게 진단적인 가치를 지닌 치료제로 유명한다.

우선 통풍성 관절염을 예방하는 것이 매우 중요한데 푸린(purine)이 적게 함유된 음식물을 주로 섭취하고 체중을 줄여 관절에 부담을 덜 주어야 한다.

그리고 술을 마시는 것은 오히려 통증을 발하기 때문에 절대 금주하는 것이 치료와 예방을 위해 바람직하다. 마지막으로 가장 중요한 것은 수분의 섭취량인데, 무조건 통풍성 관절염 환자는 하루에 2~3ℓ의 물을 마셔 콩팥에 요산이 침착되는 것을 예방하여야 한다.

문제는 하루에 3ℓ 정도의 물을 마실 수 있느냐 하는 것인데 자화수는 물맛 자체가 좋기 때문에 그런 걱정은 아예 할 필요가 없다.

또한 자기처리된 물이기 때문에 용해도가 최고로 좋아 체액내의 요산을 쉽게 녹일 수 있으므로, 예방과 치료를 동시에 할 수 있는 점을 이용해 적극적으로 자화수를 마시면 치료의 기쁨을 느낄 수 있을 것이다.

자화수의 효과가 이정도이니까 통풍성 관절염은 과히 걱정할 필요가 없으나, 인체에 과다한 단백질 섭취나 음주는 가급적 절제하는 것이 좋다는 점을 유의하기 바란다.

또한 청어나 조개에 푸린이 많이 함유되어 있으므로 이것도 섭취를 줄여야 할 것이다.

류마티스성 관절염

류마티스성 관절염은 퇴행성 관절염 다음으로 흔히 보는 만성적 관절 질환이다.

미국의 통계에서 전체 인구의 2.5～3% 정도가 이 질환으로 고생하고 있는 것으로 미루어 우리나라도 이와 비슷한 발생빈도를 보일 것으로 생각된다.

류마티스 관절염은 주로 40～50세 사이의 여성에서 많이 발생한다. 그 원인을 규명하기 위하여 임상적으로나 실험적으로 매우 활발히 연구하고 있으나 아직까지도 그 원인을 확실히 알아내지 못한 상태이다.

최근에는 자가면역 질환임을 뒷받침하는 연구보고들이 많이 발표되고 있다.

류마티스 관절염의 주된 증세는 관절에 나타나지만 전신적인 질환이므로 신체 어느 곳에나 증세가 나타날 수 있고 매우 다양한 전신 증상을 동반한다.

초기의 증세는 대개 다발성 관절통이다 주로 무릎관절, 발목관절, 팔꿈치관절, 손가락관절에서 관절통이 나타나는데 특히 손에서는 방추형으로 붓기도 하면서 통증이 생긴다.

대개 주먹을 쥐는 힘이 약해지면서 조그만 물건을 드는데도 불편을 느끼며 주먹이 잘 쥐어지지 않고 물건을 잘 떨어뜨리기도 한다.

관절통은 몸의 이곳 저곳으로 이동하면서 증세를 나타내는 것이 특징적이다.

아침에 일어나면 관절운동이 유연하지 못하고 뻣뻣해지는 현상이 나타나며 쉽게 피로감과 전신무력감을 느낀다.

또 한가지 중요한 특징은 환절통증이나 종창이 대개 대칭형으로 나타나는 점이다. 점차 시간이 경과하면 관절 주위의 근육이 위축현상을 보이고 인대가 수축하면서 뻣뻣해져 무릎관절이나 팔꿈치 관절이 움직일 때 부드럽지 않게 된다.

대체로 40대 중년에서 지속적으로 또는 자주 반복되는 관절종창과 대칭성 관절통, 그리고 운동제한과 더불어 이동성 관절통의 특성을 보이며 아침 기상 때 관절이 뻣뻣해지며 전신적인 피로감과 함께 피하조직에 피멍이 잘 들고 관절주위의 근육위축 등이 보이면 일단은 류마티스성 관절염으로 의심해도 된다.

그런데 한가지 재미있는 사실은 환자가 임신했을 때, 관절염 증세가 일단 소실 또는 완화되는 현상을 나타낸다는 점이다.

일단 이 질환이 의심되면 병원에서는 간단한 혈액검사와 류마티스인자를 검사하는 혈청검사를 하게 된다.

혈청검사에서 류마티스인자는 약 70%에서 양성반응을 보이는데, 정상인의 2~10%에서도 양성이 나타나므로 함부로 속단하면 안된다.

이 병은 상당히 진행된 다음에 비로소 X-레이를 찍어야만 관절의 변화를 볼 수 있다.

류마티스 관절염은 장기적으로 치료를 해야 하므로 환자들이 실망하거나 쉽게 포기하는 경우가 많다. 그러므로, 치료를 시작하기 전 충분한 교육을 거쳐야만 치료의 성공률을 끌어 올릴 수 있고 환자들의 협조도 얻을 수 있다.

치료에 있어서는 일반보존적 치료, 약물치료, 수술적 치료 등으로 크게 나뉜다. 이 중에서 수술은 최후의 방법이고 약물치료는 현재 많이 보편화 되어 있지만 장기복용에 따른 위장장애를 감소시키는 것이 바람직한데, 이것이 간단한 문제가 아니므로 장기치료를 하는데 있어서 가장 애로사항이라 할 수 있다.

아직은 근본적인 치료법이 없기 때문에 어느 하나의 치료방법에 특별히 의존해서는 안되고, 서로 병행하거나 단계적으로 치료하는 것이 보편화 되어 있다.

앞에서 언급한 보전적 치료의 효과를 절대 무시할 수 없는데 그 이유는 부작용이 없어 장기적으로 치료할 수 있기 때문이다. 대표적으로 물리치료를 들 수 있는데 병원의 물리치료실을 이용하거나 자가 물리치료를 활용해도 좋을 것이다.

그리고 자주 온천욕을 하면 말할나위 없이 좋겠지만 지역적, 경제적 사정으로 그리 쉬운 일이 아닐 것이다. 그러므로 가정에서 누구나 효과적으로 할 수 있는 방법인 자화수 목욕을 권장하고 싶다.

현재까지 이 류마티스 관절염을 치료하는데 있어서 상당히 효과적인 것이 파라핀 목욕이었으나 가정에서 시행하기는 거의 불가능하기 때문에 가정에서 쉽게 관절통을 줄이고 염증을 완화시키는 방법으로 자화수 목욕을 하면 치료에 매우 도움이 될 수 있다.

또한 현재까지 규명된 유력한 원인으로 자가면역설을 들 수 있고, 핏속에 있는 자가면역항체의 농도를 떨어뜨리거나 없도록 하는 방법이 근본적인 치료 방법이 될 수 있는데 자기처리된 물을 수시로 마시게 되면 자가면역항체의 농도를 저하시킬 수 있다는 것이 필자의 확신이다.

여담이지만, 자기팔찌 등이 류마티스 관절염으로 고생하는 분들의 손목 관절통을 줄이는데 효과적인 사실을 의학계가 검증하지 않았다고 해서 이 효과를 부인하거나 외면할 수 있겠는가?

의학계의 편협한 이기주의가 인류의 고통을 줄이는데 오히려 저해요소로 작용한다면 의학계가 어디 인류의 건강을 지키는 파수꾼이라고 자신있게 이야기할 수 있겠는가?

경(頸)·견(肩)·완(腕) 증후군, 견비통, 요통

현대생활에서 컴퓨터를 다루지 못하면 문맹인 소리를 듣기 십상이다. 가히 정보의 혁명을 가져 왔다고 해도 과언이 아닌 문명의 이기인 컴퓨터를 많이 취급하시는 분들에게는 조금 달갑지 않은 직업명이 있다. 그것이 다름 아닌 경·견·완증후군이다. 순서대로 풀이하면 목과 어깨 그리고 손목에 통증과 저림이 오는 병이다. 오랫동안 비정상적인 자세로 긴장하여 컴퓨터를 사용하다보면 시력도 나빠지고 목이 뻣뻣해지면서 늘상 어깨 통증이 수반되어 상체가 꾸부정해지는 종사자들도 상당히 많다.

또한 30대인 데도 손목이 시큰시큰해지면 혹시 젊은 나이에 벌써 류마티스 관절염이 아닌가 하여 불쾌해진다.

앞에서 설명한 YDT증후군이 유해전자파로 부터 생기는 직업병이라고 했는데 이 경・건・완증후군도 계속적인 업무와 자세 불량이 복합적으로 작용한 것이라고 할 수 있다. 그러므로 컴퓨터를 사용하는 도중에 잠깐이라도 시간을 내서 가볍게 손목도 풀어주고 목과 어깨를 부드럽게 돌려주어야 한다.

그리고 깨끗한 물통에 자화수를 담아 사무실에 갖다놓고 마시거나, 아니면 사무실에 자화수기를 설치하여 휴식할 때마다 자화수를 마시고 손목, 어깨, 목 등을 부드럽게 한번씩이라도 돌려주기만 해도 피로는 훨씬 감소될 것이다. 그러면 사무실 직원들의 업무능률도 상당히 상승될 것이다.

경영자들은 필자의 말을 명심할 필요가 있다. 사무직원들이 혹사당해 직업병이 많이 생긴다면 직원 뿐만 아니라 회사의 손해가 더욱 크기 때문이다.

알맹이 없는 '국제화'라는 구호보다 산업안전과 산업보건이라는 측면에서 근로자의 안전과 건강이 선행되어야만 국제 경쟁력도 강화될 수 있을 것이다.

한편, 가사생활을 하시는 주부들을 자주 괴롭히는 병이 있는데 어깨죽지가 아프고 결리는 소위 '견비통'이라는 것이다.

이 견비통은 집안일을 오래 하거나 양팔을 많이 사용하면 필연적으로 오기 마련이다. 장시간 자세가 좋지 못해 혈액순환이 부진한 것이 견비통의 주된 원인이기 때문에 혈액순환을 원활하게 해

주는 자화수를 자주 마시면 신기할 정도로 견비통이 해소된다.

아마도 서서 일하거나 생활하는 사람만큼 '요통'을 자주 호소하는 일은 드물 것이다. 치질이란 것도 인간이 역시 직립동물이기 때문에 생긴다는 것이다. 요통도 전체 인구의 약 80%가 경험할 정도로 흔한 증상이다.

요통은 대부분의 경우, 근육과 골격계의 병변인 역학적 요인에 기인되어 야기되므로 자연히 치료의 목표도 역학적인 장애를 교정하는 방향으로 추진해야 된다.

요통을 일으키는 대부분의 원인은 요부염좌(腰部捻挫)이고 그 다음으로는 소위 '디스크'라고 알려진 추간판탈출증 그리고 퇴행성 관절염 등이다.

근무중 자세가 불량하거나 직업상 어쩔 수 없이 허리를 비트는 경우가 많고, 외상을 입게 되면 요추 부위를 받쳐 주는 인대 조직이 늘어나거나 찢어지게 된다. 바로 이것이 '요부염좌'라고 하는 것이다.

이외에도 과다한 노동때문에 요추 부위에 부하(무게)가 계속적으로 가해질 때, 퇴행성 관절염이 오게 되는데 우리의 시골 부모님들이 대부분 이 질환으로 고생하는 경우가 많다.

신성한 국방 의무를 기피하는 수단으로 과거에는 소위 '디스크'라는 추간판 탈출증의 허위진단서가 유행하던 때가 있었는데, 이 나라의 장관이나 재벌들의 자제(?)를 입영대상에서 빼어주곤 했던 대표적인 질환이다.

일반적으로 추간판 탈출증이나 퇴행성 관절염을 제외한 대부분의 요통은 아랫배가 나와 복근이 약하고 허리 근육이 운동부족 때문에 충분히 발달되지 못해 나타나는 경우가 많다.

허리를 강화시켜 주는 방법으로 요가나 테니스, 수영 등을 꾸준히 계속하면 복근도 강화되어 아랫배가 자연히 없어지게 된다.

운동 부족인 남편이 과다한 성생활을 하게 되면 가뜩이나 약한 허리의 힘이 더욱 저하되어 요추부의 정상만곡이 흐트러지게 된다. 이렇게 되면 요통의 악화가 거듭 반복될 수 밖에 없다.

평소 자세가 좋지 않은 상태로 공부나 작업 또는 가사 일을 오래 보는 사람들이 대개 요통을 호소하는데 이들은 근본적인 원인을 찾지 않고 반짝 효과를 보기 위해 침술원에 가는 경우가 많지만 시간이 조금 경과하면 또 요통이 재발한다.

만약 요통이 발생한다면 우선 병원에 가서 X-레이 검사와 더불어 정확한 진찰을 받아 전문의와 상의하여 치료를 하는 것이 좋다.

일시적으로 자세가 좋지 않아 요통이 발생하면 이는 요추부의 혈액순환이 안 좋아서 생기는 것이기 때문에 혈액순환을 좋게 하는 비싼 약만 찾지 말고 값싸고 건강에 좋은 자화수를 마셔 보라. 그러면 씻은 듯이 요통이 사라지게 될 것이다.

성인병

당뇨병

당뇨병이란 소변에 포도당이 나온다고 해서 이름 붙여진 병명인데, 보통의 소변에서는 나오지 않을 정도로 적당하게 유지되는 혈액속의 포도당이 콩팥의 역치(댐)를 넘쳐 흘러나가는 것이다.

포도당은 우리가 항상 먹는 음식물중 탄수화물의 구성 성분인데 장에서 흡수된 포도당은 혈액으로 가서 다시 우리 몸의 세포 하나 하나에 들어 간다.

개개의 세포에 들어간 포도당은 에너지원이 되어 우리 몸을 활동하도록 하고 있는데, 이 포도당이 각 세포에서 이용되려면 바로 인슐린이라는 호르몬이 필요하다.

자동차의 기름 탱크에 휘발유가 많아도 엔진에 휘발유가 잘 들어가지 않고 새어버리면 아무 소용도 없듯이 체내에 인슐린이 모자라면 흡수된 포도당은 이용되지 못하고 혈액 속에 쌓여 오줌으로 넘쳐 흐르게 된다.

인슐린은 우리 몸의 오목가슴 뒤편 깊은 곳에 위치한 췌장의 베타세포에서 분비되며 당뇨병은 이 인슐린이 충분히 안 나오기 때문에 생기는 병이다.

쉽게 생각하면, 당뇨병은 포도당의 이용이 잘 안되는 병인 것이다.

당뇨병의 근본 원인은 그동안 확실하게 규명되지 않았다. 그런데 유전과 환경이 복합작용을 한다는 기존 학설에 덧붙여 최근에는 바이러스가 주된 원인으로 작용한다는 연구결과가 속속 발표되고 있다.

기존학설인 유전과 환경적 요소도 물론 중요하다.

이제 바이러스의 정체가 완전히 밝혀지면 당뇨병도 완전히 극복될 것이므로 인간의 수명 연장에 크게 기여할 것으로 전망된다.

당뇨병의 증상을 상세히 알아두면 지혜롭게 대처할 수 있다.

혈당이 높아지면 당(포도당)이 소변으로 빠져나가게 되는데, 이때 포도당이 다량의 물을 끌고 나가기 때문에 소변을 많이 보게 된다. 따라서 몸안의 수분이 모자라니까 갈증이 심해져서 물을 많이 마시게 된다.

또한 핏속의 포도당은 에너지원으로 제대로 이용되지 못하니까 공복감이 심해져서 점점 더 먹으려고 한다. 그러나 아무리 먹어도 밑빠진 독에 물 붓기식처럼 포도당의 이용이 안되고 소변으로 빠지기 때문에 오히려 체중은 줄어들고 쇠약해지며 에너지를 잘 활용할 수 없으므로 쉽게 피로감을 느낀다.

당뇨병은 인슐린 의존형과 인슐린 비의존형 당뇨병으로 크게 나눈다.

당뇨병의 일반적인 자각증상

구갈(口渴)

다뇨(多尿)

피로감(疲勞感)

체중감소

공복감(空腹感)

신경증상(神經症狀)

피부질환(還)

말초혈관순환이상

시력장애(視力障害)

치조농루(齒槽膿瘤)

인슐린 의존성 당뇨병은 췌장의 인슐린 분비기능을 많이 저하시키므로 아직까지는 반드시 인슐린으로 치료를 해야 하는데 비해 인슐린 비의존성 당뇨병은 췌장의 인슐린 분비 능력은 대체로 유지되나 비만 등의 이유때문에 체내 인슐린의 공급량이 필요량에 비해 상대적으로 모자라서 생기는데 반드시 인슐린으로 치료할 필요는 없으며 경구용 혈당강하제 복용으로도 치료가 잘 된다.

당뇨병은 사실상 합병증을 예방하기 위해 혈당을 관리한다고 이해하면 좋은데 당뇨병 치료를 소홀히 하면 당뇨병성 망막증, 신장의 합병증, 당뇨병성 신경염, 협심증이나 심근경색증 등이 빨리 올 수 있으므로 평소 혈당을 철저히 관리하는게 좋다.

현재까지의 당뇨병은 치료한다기 보다는 관리한다는 표현이 더 옳은데 식사요법, 운동요법, 약물요법 등이 있다.

우선 식사요법은 영양사의 의견을 따르거나 집에서 식품교환표를 이용하면 되겠는데 자화수의 중요성을 여기서 강조할 필요가 있다.

당뇨병 환자도 물을 안 마시면 살수 없으니까 이왕에 마실 물이라면 자화수를 마심으로써 당뇨병의 혈당 관리를 더욱 쉽게 할 수 있고 완치의 가능성을 더욱 앞당길 수도 있다.

즉, 차가운 자화수는 모두 6각수이기 때문에 바이러스에 감염된 베타세포(췌장내에 분포)에 활력을 주고 감염 바이러스를 퇴치시켜 인슐린 분비를 도울 수 있다.

그리고 자화수는 인체의 신진대사를 촉진시키므로 혈액중의 넘치는 포도당을 운동요법과 더불어 세포의 에너지원으로 쉽게 이용한다.

필자는 당뇨병으로 고생하는 분들을 위해 진심으로 권고하는데 청량음료(사이다, 콜라)나 술은 섭취를 제한할 정도가 아니라 아예 마시지 않는 것이 상책이라고 본다.

당뇨병 치료에 있어서 자화수는 하루 1.5～2ℓ를 적절히 배분하여 마시는데, 식후에 혈당량이 올라가므로 식전 보다는 식후에 자화수를 많이 마시는 것이 합리적이다.

운동요법인 경우 달리기, 줄넘기, 베드민턴, 테니스, 자전거 타기 등이 있고 전신적으로 활발히 움직이는 운동이 가장 좋다.

당뇨병 치료의 기본은 식사요법과 운동요법인데, 이 두가지로 혈당 조절이 안될 때 최후의 보루로 경구혈당강하제나 인슐린을 사용하게 되는데 이의 사용은 주치의와 잘 상의하여 치료하기 바란다.

비만증

살이 찌고 싶어서 부러워 하던 때를 지금 40대 이상인 분들은 누구나 기억할 것이다.

너무나도 가난했던 그 시절, 봄만 되면 '보릿고개'라는 말이 사실상 실감났던 그 시절에는 쌀밥 한번 실컷 먹고 기름진 고기 한 토막만 같이 먹었다면 아마 이 세상 누구도 부럽지 않았을 것이다.

그런데 오늘날은 어떠한가? '먹는 것이 남는 것이다'라는 말이 시중에 떠도는 것이 실감날 정도로 옛날 못먹던 시절을 한풀이라도 하듯 마구 먹어대고 마구 버리고 있다.

옛날에는 아랫배가 나온 사장들이 부러움의 대상이 되었는데 요사이는 호리호리한 사장들이 오히려 부러움을 받고 있다고 한다. 우선 살이 찌면 성인병으로 어느날 갑자기 쓰러지는 일이 허다하고 주위의 친한 분들이 병원에 갔더니 동맥경화증이나 고혈압이라는 진단을 받고나서 운동을 한다 살을 뺀다 등등 호들갑을 떠는 일이 결코 예사롭지 않다.

그러면 비만증이 왜 문제가 되는가를 한번 살펴보자.

비만증이란 우리가 음식에서 섭취한 에너지 중에 소비하고 남은 것이 지방으로 바뀌어 체내의 여러 부분 그중 특히 피하조직이나 장간막에 쌓이는 현상으로서 일종의 질병으로 간주되고 있다.

표준체중의 120%를 초과하는 경우 비만증이라고 하며 뚱뚱한 겉모습 보다는 여러가지 병의 원인이 되기 때문에 살찌지 않도록 미리 미리 신경을 써야 한다.

비만증의 대부분은 단순성 비만증인데, 유전적인 소질이 있는 경우에 운동부족과 과식이 동반되어 발생한다.

앞에서 표준체중을 언급했는데 이는 간편하게(신장-100)×0.9의 공식으로 구할 수 있다.

표준체중으로 비만증을 알아내는 방법 이외에도 X-선과 피부두께 측정기를 사용하여 지방층의 두께를 측정하기도 하는데, 상박 뒤부분의 두께가 남자인 경우 2cm 이상, 여자인 경우 2.5cm 이상이면 비만증으로 진단한다.

비만증을 성공적으로 치료하려면 물 마시기를 포함한 식이요법,

운동요법, 행동교정요법을 철저하게 병행하여야 한다.

그런데 이중에서 가장 중요한 것이 물먹기를 포함한 식이요법이다. 쌀찐 사람은 하루 800~1,500칼로리를 감식해야 하며 비만을 야기하는 영양소는 탄수화물과 지방질이므로 이들의 섭취를 줄여야 한다.

가장 적극적인 비만의 치료법으로 단식요법이 있는데, 수주 내지 수개월간 물, 비타민, 무기질만을 섭취하는 방법으로 체중을 급격히 감소시킬 수는 있으나 간장병, 심혈관 질환, 관절염 등이 있는 사람들에게는 불가능한 단점이 있다.

필자가 식이요법에서 가장 중시하는 핵심이 바로 물 마시기 요법이다.

요사이 살을 뺀답시고 신문광고에 나오는 무슨 茶(차)를 마신다, 사우나복을 사 입는다, 밤에 자고 나면 살을 빠지게 한다는 미국의 다이어트 식품 등을 사먹고 있다는데, 왜 이리도 쓸개 빠진 짓들을 하는가?

비싼 미국식 다이어트식품을 사먹느니 보다는 한국식 물 다이어트법을 이용하면 탁월한 살빼기 효과는 물론 귀중한 외화를 낭비하지 않아도 되고, 물의 소중함을 깨닫게 되니 일석삼조가 아닐 수 없다.

물은 우선 칼로리가 전혀 없으니까 물을 마신다고 해서 살찔 염려는 전혀 없다.

살을 빼기 위해 사우나탕에 들어가 땀을 진탕 흘리고 나서 체중을 줄였다고 좋아하는 분들이 있는데, 참 어리석은 행동이다. 살은 체내에 있는 군더더기 즉, 지방층을 말한다는 것임을 안다면 살을 빼려고 땀을 빼는 사우나 목욕은 절대로 하지 않을 것이다.

자! 이제 물중의 물인 자화수를 마시면서 식이요법을 시작해 봅시다. 밥맛이 당길 때, 우선 자화수를 많이 마시면 위액이 희석되어 일시적으로 식욕이 감퇴된다. 또한 물배를 채웠기 때문에 밥 생각이 없게 된다.

단, 한가지 조심해야 할 것은 새벽이나 아침 빈속에 찬 자화수를 마시면 위장 활동이 왕성해져서 밥맛이 땡기므로 이를 피하면 좋다.

식이요법을 하는데 있어서도 반드시 간식과 과식 및 고열량식을 줄여야만 하며 식사를 할 때도 천천히 하도록 해야 한다.

일상생활에서도 스트레스를 받으면 심리적으로 무엇인가를 먹어 스트레스에서 벗어나고자 하는 심리가 발동되는데 이때 물을 마심으로써 그러한 스트레스를 잠재울 수 있고, 심리적으로 여유를 가질 수 있게 된다.

비만때문에 성인병이 두려운 남자나, 예쁘게 보이지 않는 여자들은 우선적으로 자화수를 마시도록 권고한다. 사실상 자화수는 성인병도 예방할 뿐만 아니라 미용에 도움을 줌으로써 일석이조인 것이다.

또한 살을 빼는데는 식이요법 뿐만 아니라 꼭 운동을 하여야만 효과를 거둘 수 있다. 운동은 1주일에 4~5회, 운동시간은 사람에 따라 다르나 하루 30분 내지 1시간씩 걷기, 뛰기, 자전거 타기, 수영, 테니스 등을 하되 단시간에 격렬하게 하지 말고 지속적으로 서서히 운동을 하여야 비만의 치료에 효과적이다.

비만증은 유전적인 인자와 환경적 인자가 결합되어 나타나므로 부모가 비만증이 있을 때는 경각심을 가져야 한다.

그리고 어릴 때의 비만이 성인 비만증으로 연결되기 때문에 부모나 학교 선생님들께서는 각별히 신경을 쓰지 않으면 안될 것이다.

또한 성인 남자는 과음을 자주 함으로써 뚱뚱해지기 쉬운데, 알콜 1㎖은 약 7칼로리의 열량을 내며 더우기 먹는 안주들이 고열량일 경우는 더욱 비만증이 되기 쉽다.

결론적으로 성인 남자들은 30대 후반부터 식이요법 및 운동요법 그리고 음주의 절제로써 비만증을 예방하지 않으면 나이가 들수록 비만 치료가 더욱 어려워지고 결국은 치료를 포기하게 된다.

고혈압, 동맥경화증

나이 40세를 넘으신 분들이 아침부터 뒷목이 많이 땡기거나 아프면 혹시 고혈압이 아닐까 하고 병원을 찾게 된다. 증상이 이렇다고 해서 모두가 고혈압은 아니지만, 40대에 들어와서는 1년에 3~4회 정도 혈압을 체크해 보시는 것이 건강상 좋을 것이다.

세계보건기구(WHO)가 정의한 고혈압의 범위는 160/95mmHg 이상이지만, 인종이나 민족별로 다소 차이가 있다. 대개 정상인 혈압의 범위는 140/90mmHg 이하이므로 침고하기 바란다.

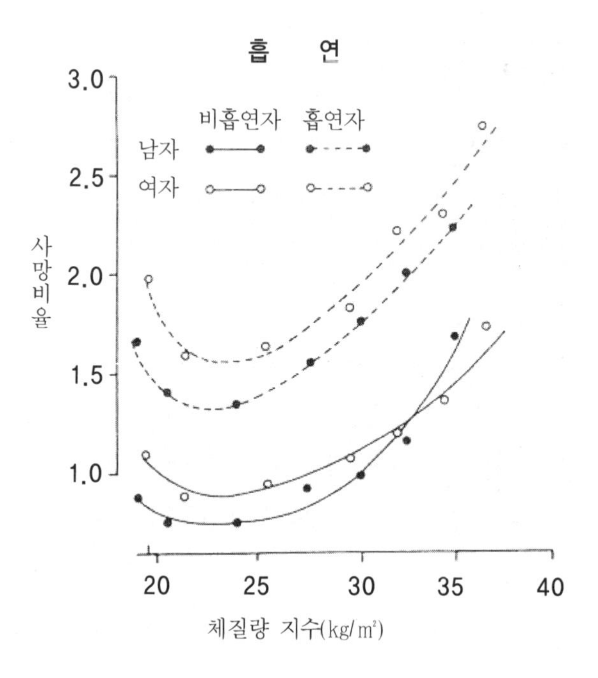

고혈압은 협심증, 심근경색증과 같은 심장질환, 중풍과 같은 뇌혈관 질환 등과 가장 관계가 깊은 질환이므로 술이나 육식을 좋아하거나 아주 공격적이거나 스트레스를 많이 받는 분들은 혈압관리에 신경을 써야 할 것이다.

고혈압 환자의 약 90%는 원인이 밝혀지지 않은 소위 본태성 고혈압이며 그 유발요인으로는 유전적인자, 신경과민, 소금 섭취량, 동맥경화증, 비만증, 직업 등을 들 수가 있다. 드물게는 2차성 고혈압이 있기도 하다.

우리 독자분들께서는 대부분의 고혈압환자는 증상이 없다는 사실을 주목하셔야 하는데, 증상이 나타나는 경우는 아침에 시작되는 뒷머리 두통, 피로감, 가슴 떨림, 현기증 그리고 코피, 시력혼탁 등이다.

혈압의 원인에 뚜렷한 것이 없으므로 의사들은 치료할 때 답답함을 느끼는 경우가 많다. 분명히 유전적인 원인은 있는데 후천적으로 소금을 많이 섭취하는 식생활이거나 신경을 쓸데없이 예민하게 쓰는 경우, 살이 불필요하게 찔 정도로 운동이 부족할 때, 술이나 육식을 과잉 섭취할 때 고혈압 증상이 많이 나타나는 것이다.

쉽게 흥분하고 성을 잘 내는 사람도 예외가 아니므로 고혈압에 조심하도록 해야 한다고 혈압을 사전에 예방하거나 현재 있는 고혈압을 치료하려면 여유있는 마음가짐이 무엇보다도 중요하다.

지나친 소금 섭취만이 고혈압의 주된 원인은 아니며 몸에 필수적인 미량원소인 칼슘이나 칼륨 등이 부족해도 체질적으로 고혈압이 오는 사람도 있다는 것을 간과해서는 안된다.

지방질 음식을 자주 섭취하는 분들에게 동맥경화증이 잘 올수 있으므로 이와 관련되는 고혈압 환자는 우선적으로 혈관 청소를 해야 하며, 혈관내의 콜레스테롤을 제거하는 약제들은 시중에 많은 편이다. 그러나 이들 약제의 부작용 또한 무시할 수 없으므로 반드시 의사의 처방을 따라야 한다.

콜레스테롤이 동맥경화증의 주요 원인으로 잘 알려져 있으나 무조건 다 나쁜 것이 아니고 HDL-콜레스테롤 같은 것은 중성지방을 제거하므로 몸에 유익한 것이다. 따라서 규칙적 운동을 하면 HDL-콜레스테롤이 올라가 건강에 좋은 것이다.

또한 콩·채소·과일 등을 꾸준히 섭취하면 핏속의 총 콜레스테롤치가 떨어지므로 동맥경화증의 예방에도 좋으며 고혈압의 예방에도 역시 좋다.

체질량 지수의 증가에 의한 사망률이 흡연에 의해 전반적으로 상승되며 당뇨병이 합병될 경우 체질량 지수의 상승은 사망률의 상승을 촉진한다.

이제부터 고혈압과 동맥경화증의 치료에 자기처리된 자화수가 얼마나 큰 역할을 하는지를 살펴보겠다. 일찌기 러시아에서도 자화수로 고혈압과 동맥경화증을 치료한바 있다고 기술한바 있는데, 필자도 자화수를 음용하게 한 결과, 고혈압의 경우 위험의 지표인 이완기혈압(최저혈압)이 20~30mmHg나 떨어졌으며, 동맥경화증 환자 역시 혈중 콜레스체롤치가 자화수를 마신 후 200mℓ/dℓ(정상치)이하로 떨어졌고 체중도 보통 4~6kg 가량씩이나 빠졌다. 자화수의 이같은 놀라운 임상 효과는 반드시 의학계에 큰 혁명으로 받아들여질 것이다.

뇌졸중(중풍)

해마다 복지부에서 발표하는 사망률이 높은 3대 질환에 약방의 감초처럼 꼭 포함되는 병이 있다. 그것이 바로 뇌졸중 흔히 말하는 중풍이다.

40대 이후에는 언제쯤 찾아올지 모르는 불청객인데, 사실은 선행원인을 미리 알아내어 제거해 버리면 중풍의 예방은 그리 어려운 것이 아니다.

이른바 뇌혈관성 질환이므로 크게 두가지로 나눌 수 있는데, 혈관이 터져서 발생하는 뇌출혈과 혈관이 막혀서 생기는 뇌경색이 대표적이다.

고혈압이 선행원인이 되는 뇌출혈은 갑자기 발생하므로 손쓸 여지가 없다는 것이 단점이지만, 여기에서 주로 다룰 뇌경색은 완만하게 병이 진행되기 때문에 충분히 예방이 가능하다.

뇌경색은 크게 두가지 원인에서 오는데, 하나는 뇌혈전이고 다른 하나는 뇌색전이다.

뇌혈전은 쉽게 말해서 핏덩어리가 뇌혈관을 막은 경우인데, 혈액속의 혈소판이 과잉 응집되거나 혈액의 점도가 높아져 적혈구들 끼리 뭉쳐서 혈관을 막을 수 있다. 따라서 혈관속에서 핏덩어리가 생기는걸 예방하려면 평소에 물을 자주 마시는 습관이 매우 중요하다.

특히 자기처리된 물은 혈액을 이온화 시키기 때문에 혈액순환 속도를 대단히 빠르게 하여 사실상 혈액이 정체될 시간이 없게 만드는 것이다.

또한 혈액의 점도를 낮추므로 미리 뇌혈전이 생길 소지를 없게 한다.

최근에 우리나라도 서구적인 식생활의 영향으로 기름기가 섞인 음식을 많이 먹게 되자 고지혈증이 원인이 되어 심지어 30대에서도 뇌경색이 생겨 병원을 찾는 경우가 드물지 않게 되었다. 한창 일할 젊은 사람이 수족이 마비되고 말을 잘 하지 못한다면 본인이나 그 가족들은 얼마나 가슴이 아프겠는가?

특히 젊은 분들에게 말씀드리겠는데 과음을 할 기회가 상대적으로 많아서 밤늦게 집에 들어오는 경우가 적지 않을 것이다. 이럴 때에는 조금만 신경을 써서 차가운 자화수를 최소한 2잔 이상 마시고 잘 것을 권한다.

그 이유는 다음날 아침의 숙취 제거에도 훨씬 도움이 될 뿐만 아니라 밤중의 혈액정체 현상을 막아주기 때문이다.

비뇨기계통 질환

요로결석(尿路結石)

생활수준이 높아지고 과잉영양이 문제될수록 요로결석의 발생이 증가되는 추세다.

요로결석은 해부학적인 구조 때문에 위에서 아래로 즉, 신장, 요관, 방광 순으로 내려가는데, 대개 신장결석은 소변의 흐름이나 요관의 유동 운동에 따라 아래로 내려 온다.

요로결석이 생기는 가장 빈번한 원인은 체내에서 신진대사후 생긴 노폐물의 증가때문에 생기는 경우가 대부분인데, 그중 핏속의 칼슘 농도가 지나치게 많을 때 가장 잘 형성된다. 현재 규명된 원인에는 우유를 과다 섭취할 때도 요로결석이 잘 생기는 것으로 알려져 있다.

담석이나 요로결석으로 고생한 경험자들은 그 고통을 너무나 잘 알겠지만 결석이 내려가다가 어느 부위에 끼이게 되면 방바닥을 뒹굴 정도로 아프게 된다.

간혹 요로결석을 예방하는 방법으로 맥주를 많이 마시라는 얘기를 하는 의사들도 있지만 이것은 잘못된 것이다. 그 이유는 맥주를 마시면 수산화칼슘이 체내에 증가하므로 결석이 더 많이 생길 수 있기 때문이다. 요로결석을 예방하고 치료하는 데는 무엇보다도 자기처리된 물이 최고라 할 수 있다.

우선 자화수는 다른 물에 비해 용해도가 월등한 물이므로 하루에 3～4ℓ의 자화수를 마셔도 결석은 용해되어 소변으로 나온다. 한마디로 비용이 비싼 체외충격이나 쇄석술을 하지 않아도 물로써 요로결석을 수월하게 치료할 수 있다는 사실은 신장결석 치료에서 가히 혁명적인 것이다.

신우신염, 방광염, 방광무력증

소변을 잘 보지 못하거나 소변을 볼때, 통증을 느끼게 되는 경우가 종종 있다고 병원에 찾아와 말씀하시는 분이 있는데 이것은 방광염이나 신우신염 또는 요도염 등이 원인일 경우가 많다.

그리고 나이가 많으신 분들 중 기력이 떨어지면 소변을 볼때 도무지 힘이 없어 잘 나오지 않고 방광이나 신장까지 염증을 일으키는 일이 허다하다. 대개 세균성으로 신우신염이나 방광염이 잘 오는데 대체로 여성이 남성보다 압도적으로 많다. 그 이유는 여성의 요도가 남성보다 짧기 때문이다.

여성들은 격렬한 성교에서 요도염이 자주 발생되고 이것이 바로 방광염으로 연결이 되는 경우가 있다는 것을 알아두어야 할 것이다.

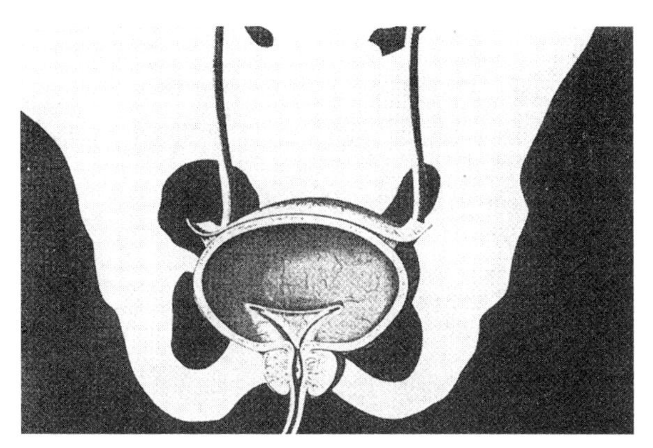

방광(膀胱)

급성 신우신염에 걸렸을 때, 우선 병원에서 항생제를 조기에 적절히 투여하면 쉽게 치료되지만 계속적으로 신우신염이 재발하게 될 경우는 물을 자주 마시는 것만큼 좋은 예방책은 없다. 이 경우에도 살균력을 갖춘 자화수라면 무엇보다도 좋다. 그리고 성교 후에 방광염에 잘 걸리는 여성이라면 성교 직후에 바로 소변을 볼 수 있도록 미리 자화수를 많이 마시는 것이 효과적인 예방법일 것이다.

자화수는 방광무력증에도 효과가 있다. 누구나 나이가 들면 기력이 저하되고 당연히 방광의 배뇨 기능도 떨어져 소변을 힘있게 시원스레 보지 못한다. 앞에서 말씀드린 바와 같이 다른 물과 달리 자화수는 기(氣)를 보충해 주는 물이므로 방광무력증으로 고생하는 분들에게 좋은 소식을 전해 줄 것이다.

하여튼 나이 드신 분들은 신장을 포함한 요로 계통의 기능을 강화하기 위해서도 자화수와 같은 좋은 물을 늘 충분히 마시는 습관을 갖도록 하는 것이 바람직하다.

부종

얼굴이나 손과 발이 자주 붓는다고 해서 그 원인을 찾을 생각은 하지 않고 무조건 약국에 가서 이뇨제를 쉽게 사먹는 분들이 의외로 많다.

여성들은 누구나 미용에 관심이 많기 때문에 얼굴이 조금만 자주 부어도 병원으로 달려와서 신장이 나쁘지 않느냐며 검사를 해달라는 경우가 상당히 많다. 그런데 여성들에게는 여성 특유의 호르몬 분비의 주기가 있기 때문에 여성 호르몬과 관계된다고 추정되는 소위 주기성 부종이 많은 것이다. 그러니까 지극히 생리적인 현상인 데도 대단히 예민하게 생각하는 경향이 있다.

그리고 여성들의 경우, 감기 등에 걸리거나 과로한 뒤에도 얼굴이 잘 부으니까 너무 예민하게 생각하지 않아도 된다.

남녀 불문하고 몸이 붓는 이유는 체내에 염분이 많이 있기 때문인데 몸에 염분이 많다고 해서 소변으로 염분이 빠져나오는 것은 아니고, 체액의 염분 농도를 항상 0.9%로 유지하기 위해 오히려 물을 몸 밖으로 내보내지 않는 인체의 신비스런 작용때문이다.

따라서 몸이 붓게 됐을 때, 특별히 심부전, 신부전, 복수가 있는 경우를 제외하고는 물을 충분히 마셔 주는 것이 좋은데 이것은 물을 적절히 공급해 주면 염분이 물에 녹은채 콩팥을 통해 잘 배설되기 때문이다. 직업상 자주 술을 마시게 되는 분들이 지금부터라도 건강수인 자화수를 마시게 되면 얼굴이 붓거나 푸석푸석해지는 것에 걱정할 필요는 없게 된다.

피부질환

주부습진

주부들은 아무래도 매일 물을 사용하지 않을 수 없기 때문에 손이 거칠어지는 것을 피할 도리가 없다. 그래서 크림 종류를 자주 바르기도 한다.

그런데 아무리 크림같은 것을 바른다고 해도 물 자체에 너무 민감한 체질을 가진 주부는 자칫 주부습진에 걸리기 쉽다.

이 주부습진이야말로 주부들에게는 정말로 골치 아픈 병인데 현재의 치료법은 임시방편에 불과하다.

손가락 끝에서 허물이 벗겨지고 손바닥이 갈라져 통증이 심할 때도 있다. 오래되면 각질화 된 피부가 두꺼워져서 손이 뻣뻣해지기도 한다.

현재 요소성분과 스테로이드를 사용해서 치료에 응용하고 있지만 치료할 때 뿐이다.

현재 주부습진의 원인으로는 물 · 세척제 · 비누용매 등이 있는데 수돗물에 포함된 염소도 예민한 주부에게는 주부습진의 원인이 될 수 있다. 염소가 피부 단백질을 변성시키고 피부의 기름기를 없애기 때문이다.

결국은 깨끗하고 자극성이 없는 물을 가지고 가정의 허드렛일을 해야만 주부습진을 예방하거나 치료할 수 있는 것이다.

자기처리된 물은 주부들이 물일을 할 때, 접촉하는 자극물질들을 쉽게 녹여 버릴 수 있고, 또 제거 속도가 빠르기 때문에 주부습진을 치료할 수가 있는 것이다.

또한 활성화된 미네랄과 발포성이 강한 산소가 풍부한 자화수로 늘 손을 씻으면[수돗물을 자화수기로 자기처리된 물로 씻는다] 피부진피에 있는 미세혈관들의 혈액순환이 좋아져서 이상각질화를 예방한다.

이처럼 자기처리된 물은 손 같은 말초 피부에도 좋기 때문에 얼굴 등을 세수하면 미용에도 물론 좋게 된다.

구내염(입병)

조금만 피곤해도 입안이 가렵고 오돌도돌 솟은 구진들이 생겨나서 신경쓰게 만드는 경우가 많다.

TV 등에서 선전하는 연고 등은 곧 침에 씻겨 없어지기 때문에 별다른 효과가 없다.

그런데 이 구내염이 한번 생기면 보통 짧으면 2~3일, 길면 1주일까지 계속되므로 귀찮은 존재인 것이다. 문제는 구내염이 한번 입안에 돋기 시작하면 기분 나쁠 정도로 가려워서 신경이 쓰이는 것이다.

아직까지 우리 의학계는 이런 별것도 아닌 구내염마저 근본적으로 치료하지 못하는 실정인 것이다.

그런데, 자화수를 자주 마시게 되면 보통 1주일씩 가는 것도 1～2일 내에 가려움증이 없어지게 되며, 신기할 정도로 오돌도돌 돋은 것들이 작아지기 시작해 완전히 없어져 버린다.

약국에 가서 돈을 주고 연고를 살 필요가 없으므로 각 가정에서는 경제적으로도 도움이 될 것이다.

지금 입안이 가려운 구내염 환자들은 차가운 자화수 한잔을 천천히 입안에서 굴리며 마셔 보라. 즉시 효과를 보게 될 것이다.

무좀

아마도 평생을 살면서 무좀 한번 걸리지 않은 사람은 없을 것이다. 무좀은 의학용어로 족부백선이라고 하는데, 백선균이라는 일종의 곰팡이균이 피부뿐만 아니라 오래되면 발톱까지 감염당해 보기가 흉할 뿐만 아니라 쉽게 부스러져 형체가 잘 안 보이기도 한다.

또한 손톱 무좀의 원인이 되기도 하며 드물게는 전신적으로 감염되는 경우도 있다.

계절적으로 땀이 많이 나는 여름철에 한창 기승을 부리지만, 오래 서 있거나 앉아서 사무를 보는 사람도 일년내내 무좀에 걸려 있는 수가 많기 때문에 여간 성가신 것이 아니다. 정말 발이 가려워 긁고 싶어도 남들 앞에서 체면이 손상당할까봐 그렇게 하지도 못하고 속으로 끙끙 앓으며 참는 경우가 많다.

요사이는 나일론 양말 대신 면양말을 쉽게 신을 수 있게 되어 무좀이 그리 기승을 부리지는 않지만, 하루종일 구두를 신은채로 영업하시는 분들은 아무래도 무좀에 시달리게 되고, 약을 바르면 조금 나은 것 같다가도 또 다시 재발하여 지긋지긋한 악순환이 되풀이 된다.

이렇게 골치 아픈 무좀도 자화수로 씻거나 목욕하면 믿을 수 없을 만큼 간단하게 완치된다. 그만큼 자화수의 살균력이 대단하기 때문이다.

이제부터는 한마디로 무좀에 대해 걱정할 필요가 없음을 선언한다.

아토피성 피부염

소아과 외래에 오는 어린이들의 피부질환 중에서도 가장 흔한 증상의 하나로 아토피성 피부염을 꼽을 수 있다.

우리나라의 통계에서도 전체 환자들 중 1세 미만이 차지하는 비율이 자그만치 53%에 이른다.

아토피성 피부염에 유전적인 요인이 관여되고 있음은 잘 알려진 사실이며, 환자 가족의 약 50% 이상에서 아토피성 피부염, 천식, 알레르기성 비염의 가족력을 가지고 있다.

이 피부염의 1차적 원인은 달걀, 우유, 실내 먼지, 꽃가루, 곰팡이, 애완동물의 비듬 등인데, 대체로 문명생활을 즐기는 가정에 많다고 볼 수 있다.

아토피성 피부염 환자의 약 80%에서 정상인보다 혈청IgE(이뮤뇨글로블린 E) 농도가 5~10배 증가하는 것이 특징이다.

1세 미만에서는 볼이 붉어지고 진물이 나며 얼굴, 목, 팔다리 등으로 번지기도 한다. 가렵기 때문에 아이들이 참지 못하고 옷으로 심하게 비비면 2차적인 세균감염을 초래하는 경우도 많다.

어린 아이들의 아토피성 피부염에서 75% 정도는 두 돌안에 완전히 없어지나 나머지 25%는 계속 아토피성 피부염이 남아 있게 된다. 돌이 지나면 대체로 피부가 건조하고 두꺼워지는 경향이 있다.

땀을 많이 흘리게 되면 피부염이 악화되므로 즉시 땀을 닦아 주어야 한다. 목욕을 너무 자주하는 것도 절대로 좋지 않다.

아토피성 피부염은 피부에 수분을 유지시키는 것이 치료에 아주 중요하므로 자주 자화수를 마시게 하고 아주 건조한 피부에는 스프레이에 자화수를 담아 조금씩 피부에 뿌려주면 훌륭한 보습효과를 가져다 준다.

필자의 견해로, 자화수 같은 물을 자주 마시게 되면 핏속의 IgE(이뮤뇨글로블린 E)라는 항체의 농도를 떨어뜨려 아토피성 피부염을 일으키는 화학적 매개물질을 만들어 내는 비만세포가 제기능을 다하지 못하게 된다. 따라서 화학적 매개물질의 생산이 차단되므로 아토피성 피부염이 소실된다고 할 수 있다. 앞으로 알레르기성 질환에 자화수가 어떠한 의학적 효능을 발휘할지 그 귀추가 주목된다.

단순포진

몸이 지나치게 피곤하거나 감기를 앓는 경우, 입술 주위나 안면에 홍반과 가려움을 동반한 물집이 생길 때가 있다. 옛날에는 열이 터져 생긴다고 했으나 사실은 헤르페스 바이러스에 의한 피부병이다. 이를 단순포진(單純布陣)이라고 부른다.

이 피부병에 걸리면 약을 쓰지 않아도 체내에서 면역이 생겨 약 1주 후엔 딱지가 떨어지면서 자연히 치료된다.

그런데 이 면역성이 평균적으로 2개월을 못 넘기므로 저항력이 약한 사람은 자주 재발하기도 한다.

여기에서 설명하는 단순포진은 '타입1 바이러스'가 원인인데, 성기 등에 잘 생기는 '타입2 바이러스'는 재발이 잘 되어 매우 성가시기도 하다.

무엇보다도 이 피부병을 잘 치료하자면 체내 면역력을 강화시키는 것이 급선무라고 할 수 있다.

일반적으로 차가운 자화수로 T임파구를 활성화 시킴으로써 바이러스 증식을 억제하거나 파괴시킬 수도 있다.

자기처리된 물을 차갑게 하면 모두 6각수가 되므로, 이들 골치아픈 단순포진을 치료할 때, 자화수는 무척 큰 도움을 준다. 즉, 자화수는 바이러스를 무력화 시킬 수 있다는 것이다.

간·쓸개 질환

지방간

술을 매일 습관적으로 먹는 사람들은 지방간에 걸리기 쉽다. 또한 육식을 많이 섭취하는 경우에도 지방간을 조심해야 된다.

한마디로 지방간이라 함은 간에 쓸데없는 지방이 끼여 간기능을 떨어뜨리거나 피로감, 식욕부진 등의 자각증상이 나타나는 것이다. 그러나 간장은 대체로 참을성이 아주 강한 장기이므로 심하게 악화되지 않으면 증상이 별로 없다. 이것이 바로 간장을 더욱 해치는 한 원인도 된다. 즉, 술을 아무리 많이 먹어도 간장의 참을성과 세포 재생능력이 우수해 오히려 건강을 등한시 하다보면 10년 쯤 뒤에 간경화증이 올 수도 있기 때문이다. 보통은 초음파로 지방간을 진단하기가 쉬우므로 술을 자주 마시는 사람들은 가끔 진찰을 받아 볼 필요가 있다.

지방간의 한 원인 중에 육식도 있는데 이런 경우는 점차 채식으로 바꿔야 치료가 잘 된다.

자화수를 늘 마시는 사람은 지방간일 경우에도 지방의 신진대사가 잘 되므로 분해가 잘 되는 편이다. 자화수의 위력은 대단하다. 자화수가 숙취 예방에도 좋으므로 술 마신 뒤, 불필요한 대사산물이 간에 해독을 끼치지 않으며, 잘 분해되어 배출되기도 한다.

자화수로 지방간을 사전에 예방하고자 한다면 술 마시는 도중에도 차가운 자화수를 수시로 마시는 것이 현명하다.

담석증

생활수준이 높아질수록 담석증이라는 병이 흔해진다. 육식 섭취가 많아지고, 대신 육체노동이나 운동은 상대적으로 부족해지는 세상으로 바뀌고 있기 때문이다.

한마디로 힘든 일을 기피하고 쉽게 앉아서 돈버는 일, 예를 들면 주식투기나 부동산 투기 등을 오래 할수록 이런 병은 잘 걸리게 되어 있다. 필자가 잘 아는 분 중에, 하루종일 증권사 객장의 소파에 앉아서 주식노름을 하고 있는데 담석증으로 꽤 고생을 한 적이 있다. 그래도 돈버는 것이 그렇게 재미나는지 이제는 전문가가 되어 버렸다. 건전한 노동의 가치를 알고 이를 실천하는 사람들에게는 담석증이 별로 없다. 너무나도 당연한 결과다.

담석증이 자주 재발되는 사람은 또한 담낭염(쓸개염증)에도 걸릴 확률이 높다. 의학적으로 담석증의 원인을 분석해 보았는데, 콜레스테롤과 레시틴 그리고 담즙산의 균형이 깨어진 결과로 확인되었다. 자화수는 간의 콜레스테롤 뿐만 아니라 혈중 콜레스테롤도 감소시켜줌으로 담석의 예방에도 큰 도움이 된다.

기타 질환

숙취(알콜중독)

우리나라 성인 남자들의 음주량은 가히 세계적으로 자랑(?)할 만하다. 세계적으로 음주량이 최고인 나라는 러시아인데, 이 나라는 비교적 춥다보니 자연히 알콜 섭취량이 증가됐을 것이다.

그런데 우리나라의 경우는 어떠한가? 군사문화에 오랫동안 예속된 사회적 습관때문에 윗사람이 권하면 아랫사람이 마시지 않고는 무슨 일이 되지 않으므로 교제를 위해, 출세를 위해 곤드레 만드레가 될 때까지 퍼마신다. 그러니 출세한 후 몇년 못가서 몸은 만신창이가 되고 한창 일할 40대 나이에 간암이다, 췌장암이다, 뭐다해서 일찌감치 북망산으로 가버리고 만다.

이제부터는 자신의 건강을 위해 권위적인 음주문화의 습성에서 벗어나야 된다.

알콜의 위장 흡수율은 대략 25% 정도인데, 위장이 비었을 때 술을 마시면 흡수 능력은 최고로 상승된다.

그리고 술에 취하는 정도는 혈중 알콜농도가 얼마나 되느냐에 달려 있으므로 흡수 속도가 느리면 그만큼 혈중 알콜 농도가 낮아져 술에 덜 취하게 된다.

술을 오래 마시다 보면 목에서 갈증이 생기는 수가 많다. 이것은 알콜이 바로 열로 바뀌어 피부의 혈관들이 확장되고 열을 발산할 때 땀이 나거나 습기 등이 빠져나가 일종의 탈수현상이 생기면서 목마름을 느끼기 때문이다.

따라서 술을 마심으로써 생기는 탈수를 막고 알콜의 대사과정에서 생기는 두통의 원인인 아세트알데하이드라는 독성물질을 빨리 제거시키기 위해서는 음주 중이나 음주 후에도 수시로 자화수를 비롯한 차가운 물을 많이 마시는 것이 좋다.

빈속에 술을 먹으면 술에 금방 취하게 되므로 이때 이왕이면 차가운 물을 함께 마시면 알콜의 흡수 속도가 떨어져 훨씬 덜 취한다. 알콜중독이나 숙취를 예방하려면 뭐니 뭐니해도 물만큼 좋은 것이 없다.

만성피로증후군

환절기가 가까워지면 어딘지 모르게 나른해지고 피로하다고 호소하는 분들이 많다.

또한 대도시의 생활권에서는 아침에 빨리 출근하랴, 직장상사들의 요구에 빨리 부응해야 되고, 가정에서 마누라나 아이들의 성화에 시달려야 하는 등 휴일도 제대로 쉴 수 없는 경우가 비일비재하다.

피로의 원인을 분석해 볼때, 일상생활에서 문제가 단순히 업무량이 많다거나 직장에 잘 적응하지 못하는 것이 문제된다.

그밖에 정신과적인 질병이 있을 때도 피로감이 잘 나타나는데, 신경쇠약이나 우울증이 이에 해당한다.

또한 당뇨병 · 빈혈 · 간염 · 만성 기관지염 · 갑상선기능항진 등에 자기도 모르게 관련되어 있을 때도 만성피로감을 많이 느낀다.

운동 후에는 대개의 경우 피로를 느끼는 경우가 많은데, 어떤 사람들은 운동 후 물을 잘 안마시는 것을 자랑인 것처럼 이야기를 하지만, 이것은 큰 오산이요 착각이다. 운동을 하고 나면 누구나 근육에 대사 노폐물이 쌓이므로 물을 충분히 마셔야 신진대사가 활발하게 이루어져 젖산이 신속히 분해된다.

일반적으로 무조건 비싼 스포츠 음료를 들이키고 있는데 만약 땀을 흘렸다면 깨끗한 소금을 준비한 후, 시원한 물과 함께 마시면 나무랄 데 없는 스포츠 음료가 된다.

실제로, 몸에 병이 없어도 피로감이 오래 계속되는 경우가 허다하다.

본인은 피로해서 죽겠는데, 막상 병원에 가서 검사 몇가지 해보면 아무 이상 없으니 잘 먹고 푹 쉬라고 하여 그렇게 해봐도 피로가 해소되지 않는다. 그래서 기력 부족이 아닌가 하는 생각으로 한의원이나 한약방을 찾게 되고, 엉뚱하게 약국에 가서 비싼 수입 간장약이나 건강식품을 잔뜩 사가지고 와서 이것만 먹으면 피로가 사라지겠지, 라고 기대해도 피로는 여전하다. 이쯤되면 이성을 반쯤 잃고 외국에서 수입된 로얄젤리나 비싼 죽염, 달팽이 엑기스 같은 것을 사먹기도 한다. 물론, 이런 것들이 효과가 없다고 하는 것은 아니다. 더 큰 문제는 효과에 비해 들어가는 비용이 엄청나다는 점이다.

사실 병원에 가서 진찰과 더불어 검사를 한 후에 정상인데도 계속 피곤하다면 혹시 자기(磁氣)결핍증이 아닌가 생각해 볼 필요가 있다 아직은 '자기결핍증'이 보수적인 의학계에서 인정하려면 꽤 시간이 걸릴 듯하다.

하여튼 '자기결핍증'에서 오는 만성피로인 경우, 자화수를 충분히 마셔 주기만 하면 거뜬하게 회복된다. 아마도 부족한 체내의 자기(磁氣)를 자화수가 보충해 줌으로써 몸에 생긴 대사성 노폐물을 확실히 배출시켜 재충전 시켜 주기 때문일 것이다.

돈이 없어 비싼 건강식품을 구입하지 못하는 우리네 서민들에게는 자화수 같은 물이야말로 '보약 저리 가라'라고 할 정도로 몸에 미치는 피로회복 효과가 가히 탁월하다 아니할 수 없다.

경기력 향상

필자가 자화수 먹기 운동을 펼치는 데에는 나름대로 충분한 이유가 있는 것이다. 국민보건을 책임져야 할 의사로써 물과 국민보건의 관계를 너무나도 잘 알고 있기 때문이다.

우리들의 눈에 보이지 않는 수많은 자기(磁氣)들의 집합체가 우리의 건강에 어떤 이익과 해로움을 가져다 주는지 궁금하지 않을 수 없다.

우리나라도 이제는 스포츠 강국이 되었기에 한마디 하겠는데 도대체 스포츠 음료가 뭐 그리 대단한 물인가? 소량의 Nacl 그리고 포도당 등에 증류수가 섞인 물을 운동선수에게 먹여서 무슨 경기력 향상을 기대하겠는가?

이미 앞에서 필자가 언급한 바와 같이, 전문적인 운동선수는 물론이고 사회체육이 활성화 되고 있는 이 시점에서 일반인들도 운동 중이나 운동 후에 자화수를 꼭 마시는 것이 피로회복은 물론 생체활성화를 위해서도 좋다는 말이다.

헬스클럽에서 웨이트 트레이닝을 하는 운동선수들 뿐만 아니라 육체미 운동에 전념하는 이들도 자화수를 마시고 나서는 훨씬 근력이 강해졌고 근육이 비대화 또는 증대되었다고 이야기하고 있다. 필자도 역기나 아령운동을 할때, 자화수를 마시면 중량을 올리기가 쉬웠고 예전 같으면 매일 역기 들기가 힘들었는데 자화수를 마신 뒤부터는 매일 역기를 들어도 근육통이 별로 없다는 사실을 직접 체험했다. 앞으로 스포츠의학에 특별히 관심있는 분들은 국가 대표선수들의 경기력을 향상시키고자 하려면 '자화수'라는 물에 관심을 기울여 보기 바란다.

풍치, 충치

충치는 치아 표면의 법랑질이나 그 안에 있는 상아질이 파괴되어 생기는 병이다. 유식(?)하게 말하면 치아우식증이라고도 한다.

하여튼 충치는 음식물의 당분이 치아에 붙으면 뮤탄스연쇄상구균, 방선균, 유산균 등이 작용해 산을 만들어 치아를 녹여버린다.

구강 내의 당분이 세균에 의하여 산이 만들어지고 그 산에 의해서 충치가 된다고 하는 사실은 실제로 무균 상태하에서 실험쥐에게 설탕을 제법 많이 주어도 충치가 생기지 않는 사실을 확인했다.

충치가 대체로 어린이들의 병인 반면 어른들의 경우, 치주염이라고 하는 풍치에 걸리면 비교적 치료가 어렵고 진행이 빠르기 때문에 경각심을 가져야 한다.

풍치의 증상은 잇몸이 붓고 염증이 더욱 악화되면 치조농루라고 하는 고름이 나오고 치조골이 파괴된다.

항상 되풀이 되는 이야기이나 일반적으로 충치나 풍치가 생기기 전에 미리 예방을 하는 것이 중요하다고 생각한다.

그러면 자화수로 충치와 풍치를 어떻게 예방할 수 있을까?

사실 밥을 먹고 난 후 사무실에 치약이 없다 하더라도 칫솔 한 개와 물만 있으면 양치질이 가능하다. 우리가 잘 모르는 사실이지만 치약에는 합성세제 성분이 들어 있어 오래 치약을 사용하면 구강에 해롭고 크게 보아 환경도 오염시키게 되므로 현재 시판되는 치약들은 근본적으로 개선되어야 한다.

물론 양치질을 할 바에는 같은 값이면 다홍치마라고 자화수와 부드러운 천일염으로 하는 것이 훨씬 낫다.

자화수는 소금과 마찬가지로 잇몸에 수렴작용과 살균작용을 동시에 하기 때문에 좋은 치솔로써 잇몸을 부드럽게 맛사지 하면 잇몸이 아주 튼튼해진다. 손가락으로 잇몸을 맛사지 하는 만큼 좋다는 뜻이다.

우리나라에 수입된 양치질 기구 중 압력을 이용해 물을 쏘아 잇몸 사이의 찌꺼기를 제거하는 기계가 있다고 하는데 여하튼 무척 편리한 세상이다. 잇몸이 안좋아서 자화수로 양치질을 하시는 분들의 얘기를 종합해 보면 그렇게 잇몸이 개운할 수가 없다고 한다. 실제로 충혈된 잇몸이 며칠 후면 정상적인 잇몸 색조로 변하게 된다.

치과 병원에서 사용하는 물도 자화수로 바꾸면 훨씬 치료기간을 단축시킬 수 있다고 생각한다.

불면증, 신경성 두통

바쁜 현대생활에 쫓기다 보면 복잡한 인간관계를 많이 갖게 된다. 막 시작한 사업이 잘 풀리지 않고 빚만 자꾸 늘어가면 짜증이 나고 밤에 잠을 편히 잘 수가 없다. 또한, 직장에서도 승진시험이나 감량 경영에 따른 여러가지 스트레스, 실업자가 될 수도 있다는 위기감 등 걱정때문에 잠을 이루기가 어렵다.

잠이란 신이 내려주신 축복이고, 하루일과를 열심히 한 후에 피로를 풀 수 있는 유일한 시간이요 공간이라 할 수 있다.

어떤 사람은 시간적으로 잠이 인생의 1/3이라면서 너무 잠에 인색해 하는데, 분명히 말해서 인간은 일벌레도 아니고 돈벌레는 더더욱 아니다. 그렇다고 불필요하게 잠을 많이 자는 것을 옹호하려는 것이 아니다. 내일 더욱 활기차게 일하기 위해서는 오늘의 피로를 잠을 통해 풀어버리는 것이 매우 중요하다고 생각한다. 그런데, 잠을 자고 싶어도 온갖 잡념이 머리를 어지럽혀 잠을 이루지 못할 때는, 괜히 뒤척거리는 것보다 즉시 일어나 시원한 자화수 한잔을 심호흡하면서 천천히 마셔 보기 바란다. 그러면 그 순간에 잡념들이 머리를 떠나가게 될 것이다. 또한 배를 채웠기 때문에 허전하지 않아서 잠이 잘 오게 된다.

불면증은 초기에 미리 뿌리를 뽑아야만 성공률이 높다. 물 한잔을 마시기만 해도 불면증이 해결된다니 한번 실천해 보실 것을 권한다.

세상사가 복잡한 것은 우리가 무엇에 너무 집착하기 때문이다. 집착을 많이하면 할수록 자연히 머리가 복잡하고 땡기듯이 아픈 법이다. 소위 이러한 신경성 두통은 신경만 차단하면 즉시 해소된다는 특징을 갖고 있다.

이러한 두통은 여자에게 주로 많으므로 여자들이 역시 남자보다 신경이 예민함을 알 수 있다.

이 두통을 근본적으로 해소시키려면 마음을 비워야 하는데, 말은 쉽지만 마음을 비우기란 무척 어려운 일이다. 더구나 보통의 속인들에겐 어림도 없는 이야기다.

그래서 보통 사람들이 이러한 긴장성 두통을 해소하려고 하면, 우선 마음의 여유를 갖기 위해 물 한잔을 마셔야 하는데 이때는 지긋이 눈을 감고 허리띠를 풀어야 한다. 물 한잔을 천천히 여유있게 마실 때 만큼은 세상 잡사들을 잊지 않을 수 없다.

'산은 산이요 물은 물이다'라는 유명한 법어가 우리 생활에 용해되려면 나 자신을 때로는 버릴 줄도 알아야 한다.

버림으로써 내 마음에 평화와 고요함이 찾아들고 거울처럼 맑은 저 자화수 같은 마음으로 변할 수 있다.

자화수 마시는 방법

옛날에 초등학교 선생님으로부터 들은 이야기인데 물을 마시는 방법과 관련된 것이다.

즉, 조선 태조인 이성계가 개국을 하기 전 어떤 마을에 들러 우물가에 있는 처녀에게 물 한 그릇을 청했는데 이 처녀가 물바가지 속에 버들잎 하나를 떨구어 주길래 이성계는 하도 이상해서 물어본 즉 나리께서는 귀한 몸이 될 관상인데 물을 급히 마셔 혹 체하기라도 하면 제가 얼마나 송구스럽겠나이까(?) 하더란다. 이성계는 고마워서 후일 이 처녀에게 후한 상을 내렸다고 한다.

물은 되도록 천천히 마셔야 한다. 심하게 표현하면 씹어 먹을 정도로 마시라는 것이다.

땀을 많이 흘린 후, 목에 심한 갈증이 난다고 해서 갑자기 찬물을 벌컥 들이키면 식도와 기관지가 급격히 수축되는 것이다.

또한 한꺼번에 다량의 물을 마시면 자칫 기도로 들어가게 되어 일시적인 무호흡상태가 되어 괴롭게 된다.

앞에서도 가능한 한 물은 차갑게 해서 마셔야 몸에 좋다고 필자는 누누이 강조해 왔다.

자화수가 아무리 몸에 좋다고 해도 급하게 많은 양을 한꺼번에 마신다면 오히려 역효과가 생길 수 있다.

수시로 차가운 자화수를 천천히 여유있게 마셔 보라. 곧 긴장이 풀어지고 해로운 긴장성 호르몬인 '카테콜라민'이 분비되지 않을 것이다.

단, 변비가 심한 분은 조금 빨리 마신다는 기분으로 음용하는 것이 변비 치료에 효과적이다.

하여튼, 새벽에 일어나 공복에 차가운 자화수를 2잔, 아침, 점심, 저녁 식사 20분 전・후해서 1잔씩, 취침 전에 1잔씩만 마시게 되면 보약 이상으로 큰 도움을 얻게 된다.

자화수의 정직한 의학적 효과 때문에 앞에서 설명한 질병들은 약을 별로 쓰지 않고도 치료되는 기쁨을 만끽하게 될 것이다.

특히 유의 할 점은 자기처리된 후 24시간이나 늦어도 48시간 이내에 물을 마셔야만 의학적 효과가 가장 높다는 것을 기억하기 바란다.

제 4 장

자기(磁氣)의 의학적 응용

자기(磁氣)의 의학적 응용

웬만한 신경외과병원이나 X-선 진찰병원에서는 아주 비싼 의료장비인 CT장치를 활용해서 두부(頭部) 내의 병변을 찾아낸다.

예를 들면, 교통사고가 나서 머리를 다쳤을 때 뇌촬영 CT장치는 그야말로 없어서는 안될 중요한 역할을 한다. 그래서 의료 종사자가 아닌 사람도 요즘은 CT장치를 거의 알고 있다.

그런데 이 CT장치가 5년 전까지만 해도 최첨단 의료장비의 명예로운(?) 위치를 차지했으나 현재는 MRI(자기공명 영상장치)에 그 자리를 양보할 단계에 이르렀다.

앞에서 설명했듯이, MRI는 자기를 이용한 영상진단 장비이다. 몇년 후가 되면 CT장치는 MRI장치로 인해 완전히 물러나지 않겠는가 하는 성급한 전망도 나오고 있다.

그래서 구체적으로 MRI에 관해 설명하려고 한다.

인체를 커다란 자계내(磁界內)에 넣은 후, 여기에 고주파의 전자장을 여러 방향으로 걸어 여기에서 나오는 신호를 컴퓨터로 분석 처리하게 되면 인체의 각 부분이 절단되어 화상(畵像)으로 나오게 된다.

생체 물리학적인 원리를 보면, 인체의 조직내에 수분이 적은가 많은가의 차이가 대비되어 그것이 이미지(象)로 나타나는 것이다.

따라서 정상 조직과 악성종양은 각각 물의 함유량이 다르므로 어느 부위에 얼마만한 크기의 악성종양이 있는지를 알 수 있다.

우리나라 의사들은 그동안 자기(磁氣)의 물리학적 기초를 의학에 응용하는데 거의 관심이 없는 동안 구미 각국의 의료진과 세계적인 의료기 메이커들은 MRI라고 하는 최첨단 의료장비를 우리에게 선보이고 고가로 판매하고 있는 것이다.

뒤늦게 우리나라 모 기업에서도 껍데기만 모방한 채 국산화율이 극히 낮은 MRI를 만들기는 하였으나 우리의 기술은 아직도 초보단계에 머물러 있다.

사실 민간에서 유통되는 자기의료기기에 대해서는 너무나도 무관심하여 간혹 환자들이 자기의료기기의 의학적 근거를 질문할 때는 대답할 수가 없었다. 겉으로는 원시적인 기기라고 무시하지만 속으로는 아는바가 없어 당황한 것이 사실이었다.

그러나 분명한 것은 우리나라 의료진이 자기의학(磁氣醫學)에 무지하다는 것과 세계적인 자기연구 추세에 오히려 역행할 정도로 시대에 뒤떨어져 있다는 사실이다.

우리 의사들이 경이로운 눈으로 MRI를 활용하여 환자들의 진료에 적극적으로 이용하고 있다는 사실로 보아 자기의의학적 응용에 그리 무관심한 것 같지는 않다.

단지, 우리가 서구 제국들을 뒤따라가기에 급급하다 보니 그들

자화수를 담은 컵에서는 발포성 산소가 무수히 많지만 상업생수에서는 거의 없음을 볼 수 있다.

과 대등한 위치에서 자기가 몰고 올 미래의학의 폭풍을 감지 못하고 있는 것이다.

병원에서는 심전도와 뇌파검사도를 이용해 진단에 도움을 주는 경우가 많다. 이들이 심장과 뇌의 전기적인 변화를 기록한 것임에 비해, 뇌와 심장에서 생기는 자장의 변화를 탐지하고 기록하여 질병의 진단에 도움을 주고자 하는 '심자도'와 '뇌자도'가 미국, 러시아 등에서 실험, 연구 중이므로 멀지 않아 이들이 심장과 뇌질환의 진단에서 획기적인 기여를 할 것으로 전망된다.

제 5 장

건강에 관한 올바른 인식

건강식품의 요지경

스쿠알렌, 알로에, 신선초, 스피루리나, 험프리, 뱀탕, 개소주, 달팽이 엑기스, 잉어 엑기스, 죽염, 생소금……

참으로 어지럽고 빙빙 돌 것만 같다. 대충 적어 본 건강식품의 종류들이다. 아마 이 지구상에 한국인처럼 약이나 강정식품을 미치도록 좋아하는 민족은 드물 것이다.

거품경제의 부산물인 부동산 투기로 졸부가 된 이들에게 건전한 생활철학이 있을리 만무하므로 결국은 탈출구로 정력을 강화시켜 주는 식품을 맹목적으로 추구할 뿐이다.

건강식품과 강정식품의 차이는 종이 한 장 뿐일 만큼 미미하다.

건강식품 옹호론자들의 말을 빌리면, 음식중에 부족한 영양소를 보충한다는 취지인데 대부분의 건강식품 제조회사들은 우리나라에서 나지 않는 이상한 것들, 예를 들면 스쿠알렌 같은 것들을 대학병원 암환자 병동까지 방문해서 그럴듯한 속임수로 팔아먹곤 하였다.

암환자에게 사용할려면 명백히 의학적으로 안전성과 효력이 입증되어야 하는데 건강식품 판매원들은 두루뭉술하게 환자나 건강이 좋지 않은 사람들을 현혹시키기 일쑤이다.

최근에는 미국이라는 나라의 등에 업혀 우리나라에 진출한 모 건강식품 회사가 초본식물로 만든 건강식품을 피라미드식 비슷하게 판매하다가 물의를 빚은 적이 있었다.

그런데 이 회사가 생산하는 소위 초본건강식품이 너무나 비싸다고 소비자들은 입을 모으고 있다. 우루과이 라운드가 거의 타결되어 우리 농민들이 의욕을 잃은 상황이지만, 우리나라에서 재배되는 약초들을 이용하면 아주 훌륭한 건강식품을 만들 수 있다. 그럼에도 불구하고 별 효과가 없으면서 비싸기만한 외국 건강식품들을 수입하여 엄청나게 폭리를 취한 내용이 정기국회에서 보고되기도 했다.

솔직히 말해 우리나라에서 생산되는 원료를 이용해 외국에 비싼 값으로 팔지는 못할망정, 수입업자나 그걸 사먹는 일부 계층이 있으니 정말 한심스럽다.

유통기한이 짧다고 해서 가격이 그렇게 비쌀 수는 없다. 그리고 현재 유통되고 있는 건강식품들의 부작용 또한 무시할 수가 없다.

대표적으로 부작용이 많은 것들은 스쿠알렌, 알로에, 화분, 효소식품 등이다.

실제로 알로에로 만든 화장품이나 겔식으로 팔리는 것들이 피부 알레르기를 많이 유발한다. 또한 복통같은 부작용도 무시 할 수 없다.

알로에를 홍보하는 책자에는 마치 만병통치약인 것처럼 이야기를 하는데 사실 의학적으로 인정된 예는 급성변비의 완화나 피부

보습 효과 정도일 뿐이다.

죽염, 생소금 같은 것도 화학소금인 정제염에서 벗어났다고 해도 역시 소금의 한계를 못 벗어난다. 죽염은 대개가 염화나트륨이고 나머지는 미량의 미네랄로 되어 있는데 소금 자체의 살균, 소염 작용은 예로부터 경험적으로 입증되어 왔다.

또한 생소금은 100% Nacl로만 되어 있으므로 소금이 체내에 들어가면 물이 자연히 동반되어 노폐물이 배출된다고 이야기하지만 의학적 근거는 없다.

소금은 적게 쓰면 약이지만 과다하게 남용하면 절대적으로 인체에 해롭다. 아무리 불순물을 제거한 소금이라지만 고혈압과의 상관관계는 부인할 수 없다.

소금도 약이 된다는 것은 동서고금의 진리이나 지나치게 복용하면 독이 될 소지가 있다. 아무튼 현재 범람하는 건강식품들은 그것이 약의 범주에 안 들어가더라도 과대광고, 허위선전으로 국민을 현혹시키지 않도록 국립보건연구원 같은 공인기관에서 독성검사를 비롯하여 효능 등을 철저하게 검증해야 할 것이다.

한때 태국에 관광을 간 어떤 한국인이 코브라를 몰래 가지고 와서 그 독이 정력에 좋다고 먹다가 죽은 일이 있었는데 웃어야 할지 울어야 할지……. 지금 땅꾼들이 겨울잠을 자는 뱀들까지 거의 잡아버려 전국적으로 뱀이 멸종 위기에 처하였다고 한다. 그래서 뱀이 잘 잡아먹는 들쥐가 너무 많아 농사를 망친다는 얘기도 있다. 무슨 뱀탕이 그렇게 정력에 좋다고 물불 안 가리고 열을 올리는가? 또 민물고기 엑기스가 그렇게 좋은가? 영양학적으로, 의학적으로 보면 보통의 물고기에 함유된 성분들일 뿐인데…….

사실 건강하게 살려면 좋은 공기와 물을 마시고 신선한 채식과 균형잡힌 식사 그리고 적당하고 규칙적인 노동이나 운동, 또한 여유있는 마음가짐, 절제있는 성생활 등이 필수적인 요소이지 별난 건강식품 등이 건강을 보장할 수는 없다.

유해식품이 어린이를 망친다

요즈음 시중에 범람하는 가공식품들이 우리 어린이들의 건강을 얼마나 해치고 있나 한번쯤 심각하게 고려해 봐야 할 때이다.

온갖 유해첨가물이 든 조리식품들을 어릴 때부터 먹기 시작하면 이들이 어른이 되었을 때 과연 어떤 현상이 빚어질까?

지금 어른들에게서 갖가지 성인병과 암에 걸리는 속도가 해마다 빨라지고 있음은 무엇을 의미할까?

이들 성인병과 암의 발생은 물, 공기의 오염뿐만 아니라 유해첨가물이 든 음식물에서 초래됨을 알아야 한다. 한가지 단적인 예를 들겠는데, 요사이 어린이들이 잘 먹는 햄, 소시지 등은 위암 발생률과 아주 밀접한 관계에 있다. 이미 서구에서 의학적으로 규명된 사실인 만큼, 우리나라의 부모들이 햄, 소시지 등을 자주 먹도록 놔두는 것이 과연 어린이들의 건강에 도움이 될지, 아니면 더 큰 해로움이 될지 필자의 말에 귀를 귀울였으면 하는 바램이다.

요즘 어린이들은 사이다, 콜라 같은 청량음료나 심지어 스포츠 음료같은 것을 대수롭지 않게 물처럼 자주 마시고 있는데, 이 나라의 영양학자나 지식인들은 어린이들 건강에 제대로 관심을 가지는지 의심스럽기만 하다.

자세히 알고 보면 청량음료는 증류수를 가지고 만든다. 용존산소와 미네랄도 전혀 없는 죽은 물인 것이다.

또한 사이다나 콜라를 마시고 나면 얼마나 갈증이 나는가? 이 갈증을 나게 하는 성분은 대체로 백설탕이나 합성감미료 등인데 분명히 인체에 해로운 인공적인 것이다.

골다공증이라고 하는 질병이 있는데 이는 뼈 속의 칼슘성분이 계속 빠져나감으로써 뼈가 조그만 충격에도 쉽게 부러지는 병이다. 청소년기에 생기는 골다공증의 원인이 아직 파악되지 않았는데 아마도 청량음료 등과 같은 유해한 음료수나 기타 유해음식 등이 원인으로 작용하지 않나 생각된다.

콜라같은 청량음료가 또 해롭다고 하는 것은 청량음료에 들어있는 당분을 많이 섭취하면 당대사(糖代謝)에 꼭 필요한 비타민 B_1(티아민)이 부족하게 되어 각기병이나 신경염의 원인이 되기 때문이다.

동네에 있는 각 슈퍼마켙이나 백화점에 쌓여 있는 외제 과자들에 얼마나 많은 방부제나 인공첨가물 등이 들어있는지 일반인들은 잘 모를 것이다.

잘못된 식생활을 지금부터 고쳐나가지 않으면 지금의 어린이들이 비록 수명은 연장될지 모르겠지만 지금보다 더욱 괴상한 질병들이 난무할지 모르겠다는 것이 의사로서의 솔직한 심정이다.

무슨 건강요법이 이렇게도 많나?

포도요법이다, 단식요법이다, 생초요법이다, 장세척이다. LEM 치료다 등등 별 희한한 요법들이 모두 등장하여 세인들을 어리둥절하게 만든다.

아무리 요즘 세상이 물과 공기와 토양이 오염되어 건강하게 살 수 없다고 하지만 일반상식을 벗어나는 ○○요법 등이 자꾸 등장하면 할수록 세상은 어지러워질 수밖에 없다.

포도가 좋다는 사실을 누가 모를까? 농약에 오염되는 경우가 많아서 탈이지 사실 비타민 등이 풍부하여 사과 다음으로 좋은 과일이다.

일상생활에서 좋은 포도를 먹을 수 있는 계절은 초가을 뿐인데 제철에 나는 과일이야말로 명품이라고 여겨진다.

포도는 한정된 계절에만 먹을 수 밖에 없는데 외국인이 쓴 책을 인용하여 현대의학이 치료하지 못한 질병을 마치 포도요법 등이 치료했다고 이야기하는 것은 숲은 보지 못하고 나무 한 그루만 보는 어리석은 실수를 저지르고 있다.

물론 현대의학이 만능의학은 아니다. 아직도 해결 못하는 난제들이 많은 것도 사실이다. 하지만 과학성과 합리성이 지나치게 결여된 방법들이 지속적인 호응을 얻기란 불가능한 일이다.

단식요법만 해도 그렇다. 사실 단식의 원리 그 자체는 과학성이 있다. 단식을 함으로써 피로한 상태의 장기들을 일시적으로 휴식을 취하게 하고 대사과정에서 생긴 노폐물을 제거하는 효과는 있다.

그런데 단식으로 해결하는 질병은 매우 제한되어 있다. 영양과잉으로 생기는 성인병의 경우 그 효과는 인정할 수 있지만 간경화나 암을 근본적으로 치료할 수는 없다.

독자분들께서 신문광고를 보면 소위 '장세척'이란 광고를 볼 수 있을 것이다.

변비를 치료해 준답시고 장세척을 한다니 기가 막힐 일이다. 앞에서 언급했듯이 자화수 같은 물로 얼마든지 변비를 잘 치료할 수 있음에도 불구하고 장세척을 계속하게 되면 어떻게 되는지 아는가?

장세척이란 물로써 대장을 씻어내는 행위인데 대장 사진을 찍거나 대장암 수술 전에 장을 비우기 위해서 시행한다. 그런데 함부로 병원 밖에서 대장세척을 자주하면 대장의 정상적인 운동이 저해되어 오히려 대장 기능이 더욱 떨어지는데 누가 책임질 것인가?

아무튼 나중에 책임을 지지 않는 무슨 무슨 요법들이 나온다고 해도 우리 국민들은 현혹당하지 않을 만큼의 지혜를 가져야 할 것이다.

또 'LEM'이나 '스피루리나'다 해서 마치 간염 바이러스를 없애는 듯이 과대 허위광고를 일삼는데 비싸기만 했지 실제로 간염 바이러스를 퇴치하지는 못하므로 여기에 속지 않았으면 하는 바램이다.

이외에도 많은 사이비 치료법들이 횡행하는데, 나중에 책임을 지지 않으므로 속는 국민들만 가슴이 아플 것이다.

그래서 필자는 옥석을 가려 주어 우리 국민들이 피해를 덜 당하도록 하기 위하여 펜을 들게 되었음을 먼저 알아주길 바란다.

잘못 알고 있는 건강상식

알부민은 대단히 좋은 영양제일까?

천만의 말씀!

알부민제제는 심한 화상, 급성 췌장염, 복막염, 간경화증 등에서 혈중의 알부민이 기준치 이하로 떨어졌을 때, 이를 보충하기 위하여 쓰는 것이지 영양제나 피로회복용으로는 절대로 사용할 수 없다.

일부 국민들이 알부민이 마치 대단한 영양제인 것처럼 알고는 미국 친지 등을 통해 들여오거나 수입하는 알부민제제 등을 사먹거나 주사를 맞기도 한다.

1990년 이후 소비량이 해마다 20% 이상씩 증가한다는데 영양제 목적으로는 구입하지 말 것을 당부하고 싶다.

알부민제제는 영양제로서 전혀 효과가 없고 가격도 싸지 않으므로 구입하여 이용하면 결국 헛돈을 내버리는 것이 된다. 또한 알부민 주사를 맞고 난후, 만약에 현재의 의학수준으로 규명하지 못하는 병에 걸릴 가능성도 있으니까 삼가해 주기 바란다.

요로결석에 맥주가 좋다고?

많은 신장결석 환자들이 맥주를 마시면 결석이 잘 빠져 나온다고 믿고 있는 모양이다.

물론 맥주 자체가 대부분 물이니까 그러한 논법도 일리가 전혀 없는 것은 아니나 맥주를 마실 바에는 물을 다량 마시는 것이 훨씬 치료에 보탬이 된다.

그런데 맥주를 많이 마시게 되면 맥주 성분에 수산염이 많아 체내의 칼슘과 더불어 수산화칼슘이라는 요로결석을 생성하기 쉽다는 사실을 잊으면 안된다.

아이들의 하체를 차게 하는게 좋을까?

어떤 어머니들은 아이들의 아랫도리를 벗겨 키우는 것이 좋다고들 하는데 아마 기저귀에 의한 염증을 예방하거나 고환을 차게 하는 목적이 아닌가 싶다.

그런데 차갑게 하는 것은 이익보다 손해가 많다. 그 이유로 말초를 차게 하면 혈액순환이 저하되고 아이들은 체온조절 중추의 발달이 미약해져 오히려 감기 등에 걸리기 쉽다는 것 이다.

그리고 더 중요한 이유는 하체를 차게 하면 기(氣)의 흐름이 오히려 둔화되고 역순환 되므로 장기간 차게 할수록 체내의 기(氣)가 난조에 빠져 신체 저항력이 떨어지게 된다.

고환을 지나치게 뜨겁게 하지 않는 이상 고환 내의 정자들이 쉽게 죽지 않는다는 사실도 같이 알아두면 좋겠다.

비타민은 많이 섭취할수록 좋은가?

비타민은 우리 체내의 생체반응에 없어서는 안될 필수적인 영양소이다. 그렇다고 하지만 과잉 섭취하게 되면 해로운 비타민이 두가지가 있다.

즉, 비타빈 A와 비타민 D이다.

비타민 A를 지나치게 섭취하면 어린 아이들의 경우, 식욕이 떨어지고 잘 보챈다. 또한 피부가 건조하며 간이 커지게 된다.

한편, 비타민 D 중독증에 걸리게 되면 안면이 창백해지거나 무기력에 빠지고 설사, 변비 등이 생긴다.

하여튼 대체로 비타민 섭취가 좋지만 이 두가지 비타민 섭취가 지나치게 많으면 중독증까지 유발하게 된다.

채식주의자가 오래 살까?

장수하려면 채식을 많이 하라고 권장한다. 채소나 야채에는 비타민・미네랄・효소 등이 함유되어 있기 때문에 그렇다는 얘기다.

그러나 너무 일방적으로 채식만 좋아한다면 건강해질 수 없다. 일종의 편식이기 때문이다. 세계적으로 장수하는 마을인 러시아의 코카서스 주민들은 채식 뿐만 아니라 육식을 곁들여 균형 있는 식사를 한다고 한다.

따라서 너무 편중된 채식 위주의 식단은 과히 추천하기가 어렵다.

고루 고루 균형이 잡힌 음식이야말로 건강의 지름길이라고 생각되기 때문이다.

매일 먹는 반주가 건강에 좋은가?

폭주가는 아니라 하더라도 매일 식사 때 한잔씩 반주를 드는 것이 건강에 좋다고 믿는 사람들이 의외로 많은데 이건 이치에 맞지 않는 것이다.

우리 몸의 간장은 1/4만 남아 있어도 훌륭하게 생명력을 과시하는 장기이다.

술은 조금씩 마신다 해도 매일 먹게 되면 간장의 해독 능력이 점차 떨어지게 되고 아울러 간장에 지방이 조금씩 끼기 시작하여 마침내 '지방간'에 걸리게 된다.

차라리 자주 마시는 것보다 월 1~2회 폭주를 하는 편이 매일 반주하는 것과 비교할 때 오히려 간장회복 능력이 우수하다.

죽염이 고혈압에 좋다던데?

죽염의 살균작용과 항염작용은 그리 특별한 것이 아니다. 어떤 소금이거나 공통적으로 살균, 항염작용이 있다는 사실은 경험적으로 누구나 알고 있다.

죽염은 거의 염화나트륨으로 된 소금이다. 아무리 소금의 불순물을 없앴다고 해도 역시 소금의 일종이므로 혈압을 올리는 작용은 마찬가지이다.

혹자는 죽염이 종합적으로 체질개선에 도움이 된다고 하며 성인병의 일종인 고혈압의 치료에도 좋다고 하는데, 체질개선의 문제는 접어둔다 해도 혈압을 올리는 주요인은 역시 염화나트륨 때문인데 체질개선을 들고 나와 본질을 흐리게 하고 있는 것이다.

체질개선을 기대한다는 것은 그리 쉬운 일이 아니다. 죽염은 소금으로서의 효능은 일부 인정되지만, 선전하는 것만큼 만병통치약은 절대 아닌 것이다.

고혈압의 원인은 소금만이 100%는 아니지만, 역학적(疫學的)인 조사에 의하면 유전적으로 소질이 있는 사람이 소금을 많이 섭취할때 고혈압이 생긴다고 보는 것이 세계적인 정설이다.

우리나라 국민들의 소금 섭취량은 보통 하루에 10g 이상이 된다. 고혈압을 사전에 예방하기 위해서는 1일 소금 섭취량을 10g 이하로 줄여야 하겠다.

간장약이 과연 피로회복에 좋은가?

술먹은 뒤 우리나라의 대형 약국에 가면 간장약과 드링크제를 같이 주는 경우를 자주 보게 된다. 어젯밤에 과음했다고 얘기하면 으레히 간장약 계통을 내 놓는다. 과음을 했으면 오히려 시원한 물을 마시거나 콩나물국을 마시는 것이 간장에 좋은데, 간장약을 먹어서 알콜을 해독하자는 것은 웃기는 이야기다.

간장을 보호하고 싶으면 술을 적게 마셔야 하는 것인데 우리나라의 경우 2～3일에 술 1병꼴이라고 하니 간장약을 제조하는 회사나 그것을 취급하는 약국들이 돈을 벌지 않을 수 없게 되어 있다.

한마디로 간장약이란 진짜 간장질환이 있을 때, 보조적으로 쓰는 약이지 술먹은 뒤나 피곤하다고 해서 먹어봐야 별효과는 없다.

시중에서 판매하는 우루사나 쓸기담 같은 약은 담석 용해성분이고 여기에 비타민 B를 약간 섞어 놓은 것에 불과하므로 순수한

간 질환에는 별로 도움이 되지 않는다.

이제 국내 제약회사들도 간염 바이러스를 퇴치시키는 약물개발에 힘써야 할 때이지, 남용이나 오용의 소지가 많은 간장약 개발은 가능한 한 자제하는 것이 올바른 약업인의 자세라고 생각한다.

녹즙이 그렇게 좋은가?

요즈음 건강에 관심을 쏟는 분들이 많아지고 있고, 채소를 쉽게 갈아먹는 녹즙기를 사용하는 분들이 주위에 증가되고 있으므로 감히 이야기 드리고자 한다.

요새같이 바쁜 세상에 녹즙기로 채소를 갈아먹는 것까지는 좋다고 해도 그 재료인 채소가 대부분 농약에 오염되어 있다는 것이 문제 중의 문제다.

녹즙기 제조회사들은 한결같이 농약도 제거된다고 하지만 이 말을 액면 그대로 믿기에는 꺼림칙하다.

아마 농약때문인지는 모르나 녹즙을 매일 해먹는 사람들이 왜 그리 병이 많은지 모르겠다.

시중에 녹즙을 짜서 판매하는 가게들이 우후죽순처럼 증가되면서, 아직 그 효과가 의문시 되는 신선초 같은 채소를 무작정 방문판매하고 있는데 보건 당국이나, 의학계에서는 이에 대한 철저한 대책을 강구해야만 한다.

달개비풀이 당뇨병에 좋을까 나쁠까?

당뇨병인 데도 평소 철저히 치료받지 않다가 당뇨병이 악화되면 애꿎게 의사 탓을 하며 민간요법에 눈을 돌려 달개비풀을 달여 먹는 일이 있다고 한다.

이 달개비풀에는 혈당강화 효과가 있는 어떤 물질이 있을 가능성이 있기는 한데, 여기에는 당뇨병을 악화시키는 독성물질도 함유되어 있다.

그러니까 과학적으로 확실한 독성검사를 한 이후에 독성물질을 제거할 수만 있다면 안전하게 먹을 수도 있지 않을까 생각된다.

앞으로는 당뇨병도 머지않아 예방할 수 있으리라고 생각되는데, 당뇨병 예방백신의 연구가 한창이므로 당뇨병 환자들은 너무 초조해 하지 말고 의사와 상의하여 합리적인 치료를 받는 것이 현명할 것이다.

다이어트병(病)이란?

최근에 서울의 여러 대학병원들이 40대 여성들의 골다공증의 발생 빈도를 연구 조사한 적이 있었는데 놀랄만한 정도로 증가했다고 한다.

과거에 비해 왜 이렇게 골다공증이 급증했는지 추적해 봤는데 몸을 날씬하게 만들려고 다이어트를 해 온 주부들이 대부분을 차지했다는 보고였다.

60세 이상에서 볼 수 있는 노인성 골절도 옛날에 비해 꽤 많이 발견되었다고 하니 가히 놀랄 일이다. 잘 살게 되었다고 몸매에 신경을 쓰다보니 균형잡힌 영양분 섭취를 등한시 했기 때문에 생기는 어처구니 없는 결과다.

그렇다고 칼슘제제를 과잉 섭취하게 되면 부작용이 일어나므로 남용을 삼가해야 한다.

미국내에서 베스트셀러로 각광을 받은 바 있는 <BEAUTYMYTH>라는 책을 읽어보면 '새로운 병이 급격히 확산되고 있다……. 처음에는 몇 십명이, 다음에는 수백명이, 그리고 그 다음에는 수천, 수만명의 부자집 자녀들이 배고픔으로 쓰러지고 있다. 지금은 다섯명 중 한 사람 꼴로 병원 신세를 지고 죽어 간다'는 내용이 기록되어 있다.

아직도 지구에는 이디오피아나 수단 같이 기아에 허덕이는 나라가 있는 반면, 세계에서 부자 나라인 미국, 일본 등지에서는 앞에서 인용한 내용과 흡사하게 다이어트병이 확산되고 있다.

미국의 한 보건 단체가 조사한 결과에 따르면 1988년말 매년 15만명의 미국 여성들이 이 다이어트병으로 죽은 걸로 보도되었다.

아름다움에 관한 왜곡된 시각때문에 발생한 다이어트병은 참으로 어처구니없는 현대문명의 산물이다.

우리나라의 경우도 결코 남의 얘기가 아니다.

잘못된 식생활 습관과 과잉 다이어트는 건강을 위해서도 반드시 시정되어야 할 문제인 것이다.

제 6 장
자화수 치료사례

30년 변비를 고친 자화수

김 정 아
(경남 진주시 이현동)

참 놀랍다. 내 나이가 현재 66세이고, 젊었을 때부터 무척 변비로 고생했기 때문에 자화수의 고마움을 어찌 말로 표현할 수 있을까?

좋다는 약을 모두 약국에서 구해먹기 시작한 지가 벌써 20년이 넘었다. 변비가 심해져 일주일에 한번 정도 대변을 봐야 할 경우, 할수 없이 관장약을 약국에 가서 사가지고 이용할 수 밖에 없었다.

변비가 심해서 어떤 때는 머리가 지독하게 아프고 배가 묵직해서 도저히 밥을 먹고 싶은 생각이 나지 않았다. 자식들이 아무리 맛있는 음식을 차려 주어도 도무지 입맛이 나지 않았다. 맛있는 비빔밥 한 그릇도 잘 먹지 못했으니 그 고통은 이루 말할 수 없었다.

아마 변비중의 변비인 악성변비를 한번 겪어 본 사람은 나의 심정을 이해할 수 있을 것이다. 변비로 고생하기 30여년이다.

솔직하게 남들에게 속 시원히 이야기할 수도 없었기에 얼마나 속으로 끙끙 앓았는지 남들은 모를 것이다.

피곤해서 잠을 조금 자려고 해도 아랫배가 터져 나갈 것 같았고 또한 윗배마저 더부룩해서 잠도 제대로 자지 못하다보니 피로는 자꾸만 쌓여 몸이 천근만근같이 무겁기도 하였다.

견딜 수가 없었으므로 10년 전에는 진주에서 용하다는 한의원에 가서 변비를 치료해 달라고 통사정을 하니까 이 한의원의 원장님은 대장을 여러 차례 관장해야만 변비가 낫겠다 하여 그분의 지시대로 따라 했으나 관장을 할 그 당시만 기분이 시원했지 하고 난 뒤에도 다시 변비가 여전히 나타났고, 오히려 대장은 더 마비되는 것 같았다.

주위 사람들의 이야기를 들으니까 변비 치료를 한답시고 장세척을 한 사람들은 모두가 더 악화된다고 하기에 두 세번 그 한의원에 가고 나서는 더 이상 가지 않았다.

그 후에 나는 또다시 할 수 없이 약국에 가서 변비약을 달라고 해서 먹기도 하였는데, 이제는 약효가 일반적인 것은 효과가 없으므로 약효가 강한 약을 달라고 하였다. 그런데, 약을 먹은 후에 대장을 막 긁어내는 듯이 아프고 설사가 시도 때도 없이 나와서 화장실에 하루에도 여러 번 드나들었다. 하도 고통스러워서 그 약을 끊어버리고 들깨 기름을 먹어보기도 했지만 별다른 효과가 없었다.

그래서 좋다는 요쿠르트도 먹어보기도 하고 알로에 즙을 사서 먹기도 했지만, 이미 한계를 넘은 것 같아서 여간 실망스럽지가 않았다.

이제는 어떻게 하나? 치료라고 하는 것은 다 해봤는데…….

지성이면 감천이라는 옛날 속담이 있듯이 기적적으로 나에게 큰 기쁨이 찾아왔다. 집 근처에 있는 S병원의 원장님이 자화수라는 물을 마셔 보면 뭔가 달라질 것이라는 말을 하기에, 처음에는 도저히 믿기지 않았지만 워낙 진지하게 이야기하므로 '저 원장님이 설마 날 속이기야 하겠나? 밑져야 본전이라고, 저 원장님의 말을 한번 믿어보자'고 작정하고 '자화수기'라는 듣도 보지도 못한 이상한 기계를 수도에 달고 나서 그 물을 마셔보기 시작했다. 예전에는 수돗물에서 염소 냄새가 나서 도저히 마실 수가 없었는데 자화수기를 달고 난 후의 물은 벌써 목에 부드럽게 넘어가니 냉장고에 넣어 차게 해서 여러 잔을 마셨다. 그런데 신기하게도 다음날 새벽에 모처럼 방귀가 시원하게 나와서 기뻐서 어쩔줄 몰랐다.

특히 그 원장님께서는 새벽에 꼭 두잔의 자화수를 마시고 누워자기 전에도 꼭 한잔의 자화수를 마시라고 부탁하기에 그대로 따라 했는데 매일 놀라울 정도로 대변을 두 세차례 보기도 했다.

처음에는 가족들이 놀랄 정도로 방귀를 마구 뀌어댔다. 얼마나 신이 나는지…… 방귀 뀌는 것이 부끄럽지 않고 오히려 자랑스러웠다. 그리고 날이 갈수록 대변 색깔이 애초의 검은색깔에서 노란빛깔의 황금 대변으로 변해 갔다.

나는 물이 이렇게도 변비 치료제에 좋은지 몰랐다.

정말 30년간 고통을 받아왔던 나의 변비를 치료해 준 자화수에 감사드리고 또 감사드린다.

아니 이러한 물을 얻게 해 주신 하나님께 우선 감사드리고 싶다.

드디어 과민성 대장염을 퇴치하다

구 자 용
(경남 진주시 평거동)

제약회사에 근무하면서 부터 술만 한잔 마셔도 다음날 아침에 아랫배가 살살 아프게 되므로 좋았던 기분도 싹 나빠진다.

그뿐인가. 차가운 과일을 조금 많이 먹었다 싶으면 나의 아랫배는 어김없이 불쾌한 신호를 보내 온다.

나는 벌써 10년 전부터 신경성 위염으로 고생해 왔기에 아랫배까지 아프면 그냥 온 몸에 있는 기운이 쑥 빠지기도 했다.

제약회사에 근무하는 관계로 늘 무슨 약을 먹을까 하는 고민이 앞섰다. 그러나 쉽게 약을 구할 수 있다보니, 약물에 중독(?)이 될 정도가 되고, 그래서 무척 마음이 약해진다.

아무리 약이 좋다 해도 오래 복용하면 내성이 생겨 약효는 떨어지게 마련인 것이다.

언젠가 우연히 성바오로 병원의 강병주 원장님이 나에게 자화수기를 집에 설치해 보지 않겠냐고 제의를 해왔다. 나는 자화수기가 목욕탕에만 설치하는 줄 알고 있었는데, 식수용 자화수기가 국내에서 처음으로 개발됐다는 이야기는 금시초문이었다.

처음에 원장님이 자화수가 건강에 너무나 좋다고 극구 찬양을 하길래 나는 속으로 '에이 설마 그럴라구, 속을 때 속더라도 한번 설치해 보자'고 마음을 먹어 자화수기를 집에 설치하였다.

그후 자화수를 집안의 아이들에게도 마시도록 하고 나와 마누라도 신기한 마음으로 그 물을 마시기 시작했다.

그런데 이게 웬일인가?

자화수를 마신지 한달도 못되어 평소에 고통스럽던 신경성 위염이 싹 낫지를 않는가?

처음엔 도저히 믿기지를 않았다. 그래서 며칠동안 예의주시하였는데, 과연 신경성 위염이 완치됐을까 하면서도 증상이 재발되지 않겠나 불안하였다.

그러나 재발이 되기는커녕 날이 갈수록 위장 상태가 좋아졌다. 식사 후, 더부룩하던 상복부가 자화수를 한잔 마시고 나면 어느센가 가슴이 탁 트이는 것 같았다.

예전에는 가스가 배에 차있어 늘 갑갑하였는데, 이제는 하늘을 날라 갈 것만 같았다.

사실 약을 잘 알기 때문에 과거에는 속이 더부룩할 때, 무슨 무슨 약을 먹기도 하였지만 이제는 완전히 상황이 달라졌다.

과민성 대장염인 경우, 술과는 상극이라 술만 먹었다 하면 틀림없이 화장실행이니 그 고민은 이루 말할 수가 없었다. 내가 알기로는 우리나라 전체 인구중 30% 정도에서 나타나는 과민성 대장염,

특히 소화기 내과를 찾는 환자 가운데 50% 이상이 대장염과 관련된다니 놀라지 않을 수가 없다.

이 질환의 원인은 현재까지 정확히 규명되지 않았지만 가정, 직장, 사회에서 경험하는 정신적인 스트레스가 일차적인 주범이란다.

나도 얼마 후 40대가 되는데 40대 이상의 직장인은 물론이고 수험생들, 가정주부 등이 주류를 이룬다는 것이 의사들의 설명이다.

즉, 정신적인 스트레스를 받으면 장의 운동을 지배하는 신경을 자극하여 장운동을 과잉 촉진시키거나 그 반대로 둔화시켜 과민성 대장염을 일으킨다는 것이다.

하여튼 미국의 경우, 감기 다음으로 흔할 정도로 급격히 증가한다고 하는데 우리나라도 역시 그 전철을 밟고 있다고 한다.

자화수가 얼마나 놀라운 마법의 물이길래 약과 직접 관련을 갖고 있는 내가 이렇게나 탄복할 수 있을까?

어떻게 보면 괴짜같은 강병주 원장님이 어떻게 자화수가 인간의 질병을 고친다는 사실을 알았을까 자못 궁금해진다.

자연과 교감하여 살아가는 우리들 인간이기에 자연을 무척 사랑하고 아껴야만 요즘의 환경 오염문제가 자연히 해결될 것이라고 강조하는 의사 강병주 선생!

자연치료법의 개가(凱歌)라고 할 수 있는 자화수 덕분에 나는 오늘도 위장과 대장이 가뿐하게 되어 새삼 건강의 중요성을 느끼고 있다.

성가신 입병이 자화수로 낫다

강 병 주
(경남 진주시 성바오로병원 원장)

내가 한양대학교 부속병원에 인턴(소위 수련의사 과정)으로 채용된 때가 1987년 5월이었다. 이전에는 전혀 입병이라는 것을 몰랐던 내가 병원 근무를 시작한 지 6개월 때부터 입안에 오돌도돌한 구진이 생겨 가렵기도 하고 쓰리기도 하여 여간 성가신 것이 아니었다.

그것은 수련의 과정이 힘든 탓도 있겠고 균형잡힌 영양식을 하기 어려웠던 이유도 있었을 것이다.

그런데 지금 돌이켜 생각해 볼때, 수련의 근무 전에 지방보건소에 근무하였는데, 이때는 산골짜기에서 그냥 받은 깨끗한 찬물을 늘 많이 마셔 왔었다. 그렇지만 서울에 와서는 매일 끓인 물을 마셨기에 사실상 죽은 물을 마셔왔던 셈이다.

입병을 조금 유식하게 표현하면 구내염(口內炎)이라 하는데 하여튼 누구에게나 성가신 병임에는 틀림없다.

구내염의 원인이 아직까지 확실하게는 밝혀지지 않았으나 비타민의 부족이나 스피로헤타 같은 세균 또는 과도한 스트레스 등을 꼽을 수 있다.

일설에는 위장병도 원인이 된다고 주장하는 이들도 있으나 논리적 타당성은 없다고 본다.

흔히 TV에서 선전하는 ○○제약 오라메디 연고 등이 그럴듯한 치료약처럼 보이지만, 사실상 그 효과는 없거나 미미하다.

그럴 수밖에 없는 것이, 입안에 연고를 발라도 금방 침에 의해 녹아 흔적도 없어지기 때문이다. 물론, 그러한 연고의 의학적 근거는 있으나 실제 효과는 별로 없다는 것이다.

나도 수차례 이러한 연고를 사서 애써 입안에 붙여 보았지만, 이내 없어졌으므로 효과제로라고 선언하고 그 후로는 절대 사용하지 않았다. 괜히 돈만 내버리는 꼴이 되었기 때문이다. 이러한 구내염은 평소에도 잘 나는 사람이 많다. 조금만 피곤해도 금방 입안에 돋아나서 신경 쓰이게 만든다.

보통 1주일 내지 10일씩 지속되는데, 푹 쉬기만 하면 금새 사라지기도 한다.

요새같이 바쁘게 돌아가는 세상에 가만히 앉아 있으면 금방 도태되거나 낙오되기 때문에 현대인은 얼마나 많은 스트레스를 받는가?

이 골치아픈 구내염은 이제는 쉽게 해소할 수 있게 되었다. 수도 파이프에 특별히 자기처리 시설을 한 다음, 이 물을 냉장고에 보관했다가 차갑게 만든 자화수를 수시로 입안에 넣어 헹구기만 하면 된다. 그러면 가렵거나 쓰리던 자극들을 별로 못 느끼게 될 것이다.

나의 경우, 6년간이나 괴롭혀 온 입병을 자화수라는 기적의 물로 완전히 해소하였기에 자신있게 추천할 수 있다.

나는 매일처럼 자화수를 마시고 있으므로 입병이 날 소지가 거의 없어졌다.

간혹 구내염이 생겨도 가렵거나 쓰린 증상은 훨씬 과거에 비해 덜하고 자화수로 자주 헹구어 내면 불쾌한 감각도 자연히 없어진다.

역시 자화수의 소염, 살균 효과가 여지없이 드러나는 것이다. 일반적인 물인 수돗물이나 생수 등에서는 이러한 소염, 살균 효과를 거의 기대할 수 없는 것이다.

사실상 입병으로 고생하는 사람들은 보기보다 많은 편이다. 아마 병원에 오건 안 오건 통계적으로 추리해 봐도 보통 성인 10명 중 6~7명은 입병이라고 해도 과언이 아니다.

그런데, 이제는 번거롭게 연고를 바를 필요도 없이 간단하게 자화수만으로 헹구기만 해도 된다. 그런데, 어떤 사람은 약국에서 베타딘 가글액을 구입해 헹구는 사람이 있는데 이건 임시방편에 지나지 않을 뿐이고 오히려 구강 내의 유익한 균을 더욱 죽여버려 입병을 악화시킬 가능성이 많다. 그러므로 이 자화수는 성가신 입병을 진화시키는 소방수라고 표현하는 것이 적절할 것이다.

자화수를 마셔서 이렇게 날씬해졌소

임 흥 태
(경남 진주시 이현동)

올해 69세 되는 노인네다.

과거 젊었을 때, 신문사의 기자생활을 하다보니 술을 말술로 먹곤 했다.

하여튼 남들이 나보고 장사같이 힘이 세다고 하였을 정도니까 키는 비록 작아도 체격은 좋은 편이었다.

항상 친구들이 혈색이 좋다고 놀리는 바람에 그리 듣기 싫지는 않았지만, 나이가 들수록 자꾸 체중이 증가되어 점차 고민이 되었다.

젊었을 때 체중을 항상 65kg정도로 유지해 왔고, 또한 꾸준히 등산을 하는 등 운동을 적절히 했기 때문에 체중조절 같은 것에는 별로 신경을 쓰지 않았다.

그런데, 근래에 들어와서는 체중이 점차 증가하기 시작하더니 마침내 80kg까지 도달했다. 그래서 매일 새벽에 일어난 후, 뒷산에 등산을 꾸준히 다녔다.

하지만 나는 원래 술을 좋아하는 애주가가 되어서인지 좀체로 체중이 감소되지 않았다

그래서 여러가지로 궁리한 끝에 전에 좋아하던 육고기도 최근에는 거의 끊을 정도로 체중 관리에 신경을 썼다.

설상가상으로 체중이 늘면서 언제부터인지 모르나 고혈압이 있다는 병원 의사의 이야기를 듣고 매우 고민을 하게 되었다.

내가 그렇게도 좋아하는 술을 의사가 끊으라는 데는 참말로 고민이 아닐 수 없었다. '에라 모르겠다 죽을 때 죽더라도 맛있는 술을 우째 끊겠나?' 하는 생각으로 술은 조금씩 계속 먹어가면서 고혈압 약도 아울러 먹었다.

병원에 1개월에 1번 꼴로 방문하여 혈압을 재보면 대개 180/120mmHg 정도를 유지했다.

체중은 별로 변동 사항이 없어 자포자기 상태에 있었는데, 어느 날 내가 잘 아는 병원장이 '물도 훌륭한 체중감량제가 되므로 자화수라는 물을 먹어보라' 고 권장하는 것이었다.

그런데 알고 보니 '자화수' 라는 물이 그렇게 구하기가 어려운 것도 아니었다. 즉, 수도꼭지에 자화수기를 부착하기만 하면 수돗물과는 전혀 다른 약수가 되었다.

나 자신도 얼마 전에 정수기를 구입하여 사용해 왔지만 건강하고는 상관이 없는 물이었고, 단지 수돗물을 그냥 먹기에 꺼림칙 하길래 친지들이 권유하는 점도 있고 해서 사용을 하기는 하지만 잘 사용도 하지 않다가 최근에는 아예 쓰지도 않는다.

그러다가 이 자화수를 한 일주일 정도 마시고 늘 등산을 갔는데,

목욕탕에서 체중을 재어보니 정말로 72kg까지 체중이 빠졌다. 너무나 놀래 목욕탕 주인에게 이 체중기가 정확하냐고 수차례 물어봤는데 '체중기는 고장이 아니니 믿으셔도 됩니다'라는 얘기를 듣고 상당히 기분이 좋았다.

체중이 이렇게 놀랄 정도로 1주일만에 8kg까지 내려갔으므로 어찌 신바람이 나지 않겠는가?

이런 사실을 예전에 자화수를 마셔보라고 추천했던 병원장에게 알리고 고맙다고 했더니, 원장은 '계속 자화수를 마셔보면 체중 조절은 물론이고 고혈압까지도 조절될 겁니다'라고 해서 더욱 용기를 얻어 꾸준히 자화수를 마시면서 오늘도 운동을 열심히 하고 있다.

정말로 치주염이 나았어요

강 숙 희
(서울 관악구 봉천동)

나는 어렸을 때, 좋은 약수를 늘 마시면 잇몸이 튼튼해진다는 얘기를 동네 어른들로부터 자주 들어왔다.

사실 옛날 어른들은 소금이 귀한 탓에 하루에 한번 밖에 양치질을 못했을 것이라고 생각하면서도 지금 생각해 보면 어떻게 그리 양치질을 잘 안하는 데도 잇몸들이 그렇게 좋았을까 늘 고개가 갸우뚱해졌다.

그때는 소금도 시커먼 진흙같은 것들이 중간 중간에 보일 정도로 위생적으로 불결한 상태였다.

결국 소금으로 양치질을 많이는 못했지만, 좋은 물과 깨끗한 채소, 잡곡 등을 늘 섭취했으므로 이것이 치아에는 좋았던 것으로 보인다.

사실 나는 치과에 자주 갈 때마다 치과의사에 물어보기도 하는데, 정말로 좋은 물이 치아에도 좋다고 한다. 살아있는 물을 자주 마시게 되면 물 안에 있는 적당량의 불소가 치아를 도포해서 건강하게 해준다는 얘기에 고개가 끄덕여졌다.

나의 경우만 해도 어렸을 때, 서울에 왔으므로 고향에서 늘 마시던 좋은 약수를 마실 수가 없었다.

인근에 관악산이 있어서 할머니와 아이들이 자주 약수랍시고 떠 오길래 수도물을 그냥 먹는 것보다는 나을 것 같아서 마시기는 했지만 왠지 불안하기만 했다.

아니나 다를까 최근에 낙동강 상수원이 오염되면서 서울의 근교에 있는 도봉산, 관악산 등에서 채취한 약수물에서 무슨 균이 나왔다고 하길래 내 짐작이 그런대로 맞은 것 같았다.

무슨 세균이 나왔기에 이렇게도 떠들썩 할까 싶어 아는 사람에게 물어보니 무슨 '가결핵성 여시니아균'이라고 하는 세균이 약수에서 검출되었는데 이 물을 마신 어린이들이 서울 상계동 백병원에 입원했다고 한다.

나는 잇몸이 늘 안 좋은 편이었는데, 얼마전 아이 아빠가 죽염 1통을 비싼 값에 사왔다.

사온 정성을 생각해서라도 열심히 죽염으로 양치질을 해보니 옛날에 치약을 갖고 하던 때보다는 잇몸이 조금씩 개운해졌다.

그런데 옛날에 시골에서는 치약이 없던 때라 소금을 잘 볶아서 양치질을 하는 걸 봤는데 이 죽염은 무슨 가격이 그렇게나 비싼지 죽염판매하는 가게에 물어보니까 소금을 아홉번 구워서 인건비가 많이 들어간다는 대답이었다.

굳이 과학적인 근거를 들춘다면 아홉이라는 숫자가 좋아서 꼭 아홉번을 구울 필요가 있겠느냐 하는 것이다.

한 두번만 구워서 불순물을 충분히 없앨 수 있다고 보기 때문에 앞으로는 값이 싼 식용 소금과 양치질 소금이 많이 개발되었으면 한다.

요즘의 치약에는 합성세제가 들어 있다는 얘기를 듣고 깜짝놀라 아예 치약을 사지 않는다. 하여튼 치약보다는 소금으로 양치질을 하면서 잇몸이 좋아지고 있는 터에 평소에 잘 알고 있는 분에게서 자화수라는 물과 함께 양치질을 해보라는 것이었다.

처음에는 물로써 양치질을 한번도 해 본적이 없는데 이게 무슨 효과가 있을까 반신반의 했다.

그런데 죽염만 가지고 양치질 할 때는 수돗물을 사용했는데 대신 자화수를 가지고 소금을 사용해 보니까 훨씬 잇몸이 개운해지고 벌겋게 부었던 잇몸의 색깔도 정상적인 색깔로 돌아왔다.

평소에 늘 아프던 잇몸이 피곤하면 더욱 붓고 더 통증이 심했는데 죽염만 가지고 하는 양치질보다는 물을 바꾸어 자화수로 양치질하니까 이렇게나 좋은 효과를 볼 수 있었다.

인제 나는 자화수 모시기를 신주 모시듯이 소중히 한다. 이 물 한방울 한방울이 바로 우리 생명의 근원이 아니더냐 하는 생각이 늘 떠올라서 요사이 주부들이 환경오염에 관해 서로 깊이 있게 이야기하는 모습을 예사로이 보지 않는다.

'물이 좋기만 하면 몸의 병도 이렇게 치유될 수 있구나' 하는 생각이 들 때는 자주 자화수를 마시곤 하며 이렇게 귀중한 물을 마시도록 이야기해 주신 분께 진심으로 감사드린다.

신경성 위염을 극복한 이야기

강 병 주
(경남 진주시 성바오로병원 원장)

40년 이상을 신경성 위염으로 고통받던 분을 자화수라는 물 하나로 치료했다고 하니까 병원에 문의 전화가 오곤 한다. 전화를 하시는 분들은 모두가 일단은 의심으로 가득찬 상태였다.

사실상 우리나라 사람들은 위장병을 흔히 앓고들 있는데 특별한 치료약은 없는 것이 사실이다. 그래서 40년 이상 온갖 양약을 다 드시고 한약도 달여 먹고 뜸도 떠서 뜸자국이 흉칙스런 한 할머니를 병원에서 처음 보았을 때, 이미 의사에게 치료를 맡긴다는 것 자체가 불가능했을 정도로 얼굴에는 불신이 완연했다.

이 할머니는 올해 연세가 58세인데 처녀때부터 속앓이를 해오셨던 분이다.

혹시, 위암이 아닐까 싶어서 병원에 가서 수차례 내시경검사도 해보고 위장 X레이를 여러번 촬영도 해보았지만 모두들 신경성 위염이니까 걱정 말라고 한다.

하지만 소화가 늘 잘 안돼 더부룩하고 가스가 차서 가슴이 터져

나갈 것 같은데 일시 효과만 나는 약만 들이 내밀어서 이제는 병원에 가기도 지긋지긋 하단다.

집에는 약봉지가 수북해서 아예 약 저장고를 따로 만들어 놓았을 정도다. 그런데 나는 할머니에게 이렇게 말씀드렸다. '할머니, 제약회사에서 만드는 약이 약의 전부가 아닙니다. 음식도 훌륭한 약이 되고 공기와 물도 좋은 약이 됩니다. 나는 이제부터 할머니의 신경성 위장병을 물로 치료해 드리겠습니다.'라고 하니까 할머니의 반응은 도무지 믿을 수 없다는 표정이었다.

나는 할머니에게 '의사와 환자간의 믿음이 없으면 치료는 절대 못하는 것이고, 설령 치료한다 해도 거의 실패하고 맙니다'라고 설득하여 자화수 치료를 하기 시작했다.

이 할머니에게 반드시 새벽에 일찍 일어나 차가운 자화수 2컵을 아주 천천히 마시라고 했다.

한 5일 뒤쯤 병원에 연락이 왔길래 누군가 싶었더니 바로 신경성 위염에 걸린 그 할머니였다.

할머니는 환희에 찬 목소리로 '무슨 물이길래 마셔보니까 전에는 늘 더부룩하던 위장이 새벽이 되면 꼴꼴거리는 소리가 나서 잠에서 깹니다. 그리고 차가운 자화수를 한잔 마셔보면 벌써 위장의 반응이 달라지는데 아주 위장이 가벼워서 살 것만 같습니다.'라면서 예전에 못먹던 고구마도 이제는 먹고 소화를 거뜬히 시켜낸다고 한다.

할머니는 고맙다는 말을 계속하면서 이웃에 위장병으로 고생하시는 분이나 경로당에 가서 자랑을 실컷 하겠다고 하셨다.

이렇게도 자화수라는 물이 신경성 위염에서 놀라운 효과와 위력을 발휘하는 것은 결코 우연이 아니다.

아직 과학적인 분석을 하기에는 여건이 좋지 않아서 당분간은 계속 신경성 위염환자들의 치료 결과만을 모으는데 주력할 방침이다.

우리 병원에도 신경성 위염을 치료해 주는 약이 한 두가지가 아니다.

예전에는 약을 맹목적으로 처방해 왔던 나 자신을 반성해 보면서 물이 이렇게 훌륭한 치료 효과를 나타낼 때마다 나는 신께서 내려주신 은총임을 확신하며 신경성 위염으로 고생하시는 분들이라면 약에 중독(?)되는 현실을 과감히 벗어 던지고 물중의 물이요, 부작용이 전혀 없는 자화수를 주저없이 마시기를 바라는 마음 간절하다.

만성 누낭염의 괴로움에서 벗어나다

강 병 주
(경남 진주시 성바오로병원 원장)

우리 병원 근처에 60대 할머니 한 분이 살고 계시는데 이 할머니는 약 10년 전부터 눈에서 늘 눈물이 자주 나와 고통을 겪으시곤 하셨다.

안과에서 만성 누낭염이라는 진단을 받고 한달에 한번 꼴로 눈물구멍을 뚫으러 가신답시고 서두르는 모습을 가끔 목격할 수 있었다.

바람이 불면 더욱 눈물이 많이 나오는지라 겨울만 되면 늘 손수건을 준비하고 다니시곤 하셨다고 한다.

별로 가정이 넉넉지 못한 할머니이기에 의료보험증이 있어도 자주 병원에 가실 형편이 못되어 아주 증세가 심할 때만 안과병원을 다녀오시곤 했다.

사실 이 만성 누낭염은 눈물을 일시 저장하는 눈물저장고[누낭이라고 함]에 염증이 생겨 비루관을 통해 눈물이 코로 흐르지 않게 되다 보니 눈물이 늘 안구에서 줄줄 흘러내리는 것이다.

한 두번도 아니고 자주 눈물이 흘러내리니 이루 불편하기 말할 수 없다. 치료법으로는 막힌 눈물 구멍을 뚫어 주거나 수술을 하는 방법도 있다. 그런데 이러한 만성 누낭염의 치료에 자화수도 크게 한 몫을 한다.

눈에는 눈물을 만들어 내는 누선(눈물샘)이 눈꺼풀의 위와 아래에 분포되어 있다.

누선에서는 눈물을 생성하는 수많은 조직세포들이 있어 우리 몸이 눈물을 필요로 할 때마다 눈물을 만들어 주기에 얼마나 긴요한지 모른다. 눈물을 만들어 내자면 당연히 체내에 적절한 수분이 유지되어야 한다.

바로 이러한 수분 유지를 자화수가 유효적절하게 해주고 있는데, 자기처리된 물은 활성화 된 살아있는 물이므로 누낭안에 들어간 자화수는 막히려는 염증 조직을 치료해 주고 아울러 막힌 누낭과 비루관 사이의 통로를 개통시켜 주는 역할을 하고 있다.

결국 철사[프로우브라고 한다]로 막힌 곳을 뚫는 원리를 응용하여 체내의 자화수가 그 힘찬 에너지로 철사의 역할을 대신한다고 보면 된다.

우리는 삶 속에서 상식적으로 잘 이해가 안되는 불가사의한 일들을 자주 보게 되는데, 자화수의 치료 역할도 바로 이런 것이라고 볼 수 있다.

안과에서는 생리 식염수로 눈을 씻는 작업을 하는데 이 원리는 비록 간단하지만 대단히 중요한 의미를 내포하고 있다.

단순히 눈을 씻어내는 세안작용도 중요하지만 눈에 염증이 있는 경우, 수성층이 건조해져 각막과 결막의 외피 또한 건조해짐에 따라 눈의 항균작용이 저하되어 세균이 증식하는 길을 터줌으로써 눈에 무척 해로움을 가중시키나 물을 외부에서 공급해 주면 눈에는 대단히 신선한 활력소가 된다.

이 할머니의 경우 누낭염이 오랫동안 계속되다 보니 만성결막염까지 생겼는데, 자화수를 마시고 난 이후부터는 결막염의 상태도 무척 좋아져서 옛날에 괴롭히던 안구 내 이물감이 훨씬 줄어들었다고 한다. 실제 안구를 조사해 보니까 안검결막이 무척 깨끗한 상태를 유지하고 있었다.

이제 할머니는 새로운 삶을 찾았다고 무척 기뻐하시고 계신다.

누낭염의 경우도 이제는 눈물이 정상적으로 흘러 예전같이 줄줄 안구 밖으로 새지도 않는다.

물론 나이가 많은 까닭에 노인성 백내장이 가벼운 초기 단계이긴 하지만, 적절한 시기에 수술을 하면 눈의 건강을 완전히 찾을 것으로 보인다.

이 할머니는 눈물때문에 성서를 읽는 일이 무척 방해를 받아왔는데 지금은 그러한 불편이 거의 없어졌으니 얼마나 좋아 하시는지 모른다. 아마도 무척 독실한 신앙인이라서 그분은 치유의 기쁨을 새삼스럽게 느끼는 것이 아닌가 한다.

만성 기관지염에 자화수가 이렇게 좋을 수가

강 병 주
(경남 진주시 성바오로병원 원장)

주변에 무척 골초들이 많다보니 그분들의 호소를 많이 듣게 되는데, 기침보다도 가래가 아침마다 끓어서 죽겠다고 하소연이다.

그놈의 담배가 무엇인지, 하여튼 대인관계에서는 없어서는 아니 될 필요악(必要惡)인지 모른다.

여기에서 말씀드릴 분은 경남 신청군 산청읍에 사시는 강○우 씨의 얘기인데, 하루에 담배 두갑을 태우면서 자기는 술은 못 마셔도 담배만은 부인과도 맞바꿀 정도로 애착이 강하다고 한다.

아마 소설가들이 구상 중에 담배를 태우면서 좋은 소재거리를 발견하듯이 이 분의 경우도 역시 예외가 아니다.

젊었을 때, 제법 책깨나 썼다고 하는 걸로 보아 문필가 냄새가 나는데 작품이 세인들로부터 크게 인정받지 못했음을 그의 표정에서 미루어 짐작할 수 있다.

가끔 병원에 와서 기관지약을 달라고 하는데, 술기운이 약간 있어 보이지만 그래도 인간적인 훈훈함이 몸에서 베어나와 나는 그를 볼 때마다 좋아한다.

정치에도 한때 관여한 적이 있어 정치 얘기만 나오면 그냥 담배를 자연히 꺼내어 피운다.

가래가 너무나 많이 나오므로 늘 호주머니에 묵직하게 휴지를 넣고 다니면서 뱉어내기에 여념이 없다.

하루는 나를 찾아와 근본적으로 객담을 없애는 방법이 없겠냐고 하면서 제법 심각하게 의논하는 것이었다.

그래서 나는 참으로 담배를 죽을 때까지 못 끊겠다면 자화수를 새벽마다 꼬박 꼬박 마셔보라고 권유했다.

그는 얼마후 나를 찾아와, 나의 말을 듣고 새벽마다 자화수를 마신다고 하면서 옛날에는 가래가 계속 끈질기게 나왔는데 자화수를 마신 후에는 가래가 한꺼번에 툭 튀어나온다고 껄껄 웃으면서 이야기 했다.

자기 친구들에게 자화수를 많이 마시도록 하여 자기처럼 가래가 쉽게 배출되도록 도와주겠다는 말도 함께 첨언하면서, 과거에도 물의 중요성을 알긴 알았지만 실제로 이리 좋을 줄은 몰랐다고 혀를 내두르기도 하는 것으로 보아 자화수 효과를 톡톡히 본 셈이다.

나는 이 자화수를 만성 기관지염 환자로 진단된 분들에게도 반드시 권장하고 있다.

시중에는 가래를 배출시킬 수 있는 거담제가 많이 생산 판매되고 있지만, 이처럼 싸고 좋으며 부작용이 없는 거담제는 일찌기 보지 못했고 앞으로도 없을 것이다.

앞에서도 언급했듯이, 자화수는 기관지 안에 분포한 섬모의 운동을 촉진시키기 때문에 객담의 배출능력을 자연스럽게 항진시키는 것이다.

이 강○우씨의 경우처럼, 습관적으로 담배를 하루에 두갑 이상 태우면 기관지의 섬모운동이 매우 저하됨에 따라 객담을 밖으로 배출시키기가 어렵게 된다.

인공적인 약을 쓰게 되면 처음에는 효과가 그런대로 괜찮으나 점차 감퇴되는 것으로 보아 자연스런 물 치료법을 골초들에게 권장하는 바이다.

자화수는 천식도 억제한다

강 병 주
(경남 진주시 성바오로병원 원장)

누구나 천식하면 지독스런 숨가쁨을 연상할 수 있다.

작년 12월경에 엄마의 손에 이끌려 우리 의원을 찾은 초등학교 6학년 김○권 학생을 구체적인 예로 들어 보겠다.

천식을 앓는 환자나 주변의 가족들은 우선 육체적인 고통도 고통이지만 오랜 투병생활을 하다 보면 정신적으로 무척 예민해지기 마련이다.

천식 발작시에는 에어퍼프제를 사용하여 우선 위기를 면하지만, 감기에 걸리기만 해도 대번에 천식이 재발되기 때문에 여간 신경이 쓰이지 않는다는 것이 학생 엄마의 얘기였다.

아직까지 딱 부러질 정도로 근본적인 치료약이 개발되지 못하고 있으므로 천식환자들이 얼마나 고통을 많이 받겠는가 이해하고 남음이 있다.

나는 우선 학생 어머니에게 평소 천식이 발작하지 않을 때, 자화수를 열심히 먹여보라고 권유했다.

나의 이야기를 끝까지 경청한 그 학생은, 자기가 먼저 자발적으로 자화수를 마신다고 하여 그 부모님들도 여간 다행스럽지가 않았다.

겨울에는 대개 바람이 많이 불기 때문에 예년 같으면 한달에 4~5회 발작을 하곤 했는데, 요번 겨울에는 천식의 발작 횟수가 거의 1/4로 줄었다고 한다.

이 학생의 얼굴도 과거에 비해 무척 밝아졌고 밥도 잘 먹는 편이라고 하기에 의사인 나로서도 무척 보람스러웠다.

이 학생은 어렸을 때, 태열[소위 아토피성 피부염]을 심하게 앓았는데 그 이후로 천식을 자주 앓아왔다 한다.

그런데 요번 자화수를 마시고 난 이후부터는 아토피성 피부염이 완전히 나아버렸다고 하므로 직접 옷을 벗기고 관찰해 보니 과연 부모님의 말씀대로였다.

또한 천식에는 물이 좋다는 의학적 주장이 타당하다는 것을 확인할 수 있었다. 아직은 많은 천식 환자들의 치유예가 보고되지 않았지만 잘만 관리한다면 천식이 과히 불치의 병은 아니라고 생각한다.

천식은 정신적인 스트레스에 의해서도 악화되는 수가 많은데, 면역계통의 이상과민 현상을 부추기는 것으로 봐야 할 것이다. 따라서 천식 환자를 잘 치료하려면 정신적인 안정을 가져다 주는 일이 매우 중요하다 하겠다.

모든 알레르기성 환자들은 정서적으로 대단히 불안한 양상을 보이므로 가족들은 평온한 가정환경을 조성하는 일이 또한 중요하다.

무엇보다도 천식 환자들에게는 물을 많이 먹도록 해서 호흡기 계통의 불감성 수분 손실을 사전에 예방해야 한다. 그리고 인공적인 조미료를 일체 먹지 말아야 한다.

예를 들면, 이 김○권 학생 집에서는 인공적인 조미료를 일체 사용하지 않고 자연 그대로의 맛을 가족들에게 보여 준다고 하는 사실을 천식환자가 있는 가족들은 귀감으로 삼아야 하지 않을까?

그리고 자화수 자체가 인체 면역체계의 불균형을 정상화 해 줄 것으로 기대하는데, 대체로 천식환자 10명 중에 8명은 호전 반응을 보이고 있음을 주목할 필요가 있다.

자화수가 편도선염에도 효과를

강 병 주
(경남 진주시 성바오로병원 원장)

목을 많이 사용하는 직업인들 뿐만 아니라 요즘의 어린애들은 편도선염을 앓는 경우가 많다. 일년 내내 목이 아프다 시피한 모 중학교 선생님인 이○철 선생님의 경우, 구강검사를 해보면 편도선은 과히 크지는 않는데 자세히 들여다보면 편도선 위에 누런 고름막이 끼여 있는 것을 볼 수 있었다.

이 선생님은 항상 편도선염 초기에 병원을 방문하는데 그때마다 페니실린 계통의 항생제를 놓아 주었다. 처음에는 혈관주사를 잘 맞더니만 날이 갈수록 혈관주사 맞기를 꺼려했다. 물론 그 이유는 혈관의 통증 때문이었다. 생각다 못해 나는 이 선생님에게 자화수를 늘 마셔서 체내의 저항력을 길러 보라고 조언을 하였다.

이 선생님과의 인간관계가 병원장인 나 사이에 돈독하다보니, 별로 의심도 품지 않고 '의사인 원장님께서 권하시는 것이라면 틀림없을 겁니다.'라고 말해 나는 속으로 진실을 알아줄 수 있는 교육자임을 느꼈고, 보통 선생님과는 다르다고 생각했다.

이 선생님께서는 자화수를 꾸준히 마시던 2개월쯤부터 거의 목에서 통증을 못 느꼈다고 전화를 해왔으므로, 물의 진실과 위력이 여지없이 발휘됐다는 기쁜 심정을 뭐라고 표현하기 어려울 정도였다.

나는 얼마전 처음에 제법 지식인처럼 행세하던 어떤 분에게서 본의 아니게 물장사라는 오해를 받기도 했다. 그러나 정직과 진실은 반드시 승리하는 법이어서 나를 오해한 그분도 요즘은 자화수의 효능에 관한 나의 이야기를 아주 진지하게 듣게 되었다.

겨울철만 되면 흔히 독감 환자를 비롯해 수많은 감기 환자들이 병원을 들락거리게 되는데, 이와는 달리 내가 감기에 걸리지 않는 이유는 분명히 자화수 덕분인 것이다.

다른 특별한 요인이 없는데도 이전과 달리 감기에 걸리지 않는다면 요행이나 우연은 결코 아닌 것이다.

우리 주변에는 이 선생님과 같이 자주 목감기에 걸리는 분들이 많다. 목감기하면 대개 편도선염을 연상하기가 쉽지만, 사실은 인두염이 더 많다. 인두염은 편도선 주위에 있는 목의 점막이 대개 벌겋게 부은 것이 특징인데, 이러한 인두염도 자화수를 자주 마시는 사람은 안 마시는 사람에 비해 훨씬 덜 발병된다.

나는 이러한 의학적 경험과 자료를 철저하게 수집하고 있는데, 더욱 객관적인 자료를 보충하여 적절한 시기에 발표할 예정이다.

간혹 시중에는 무슨 비방같은 것을 대단한 비밀 장부처럼 국민들에게 공개하지 않고 치부의 수단으로 삼는 이들도 있지만, 자화수에 관해서는 우리 국민들의 보건을 위해서도 모든 좋은 결과를 철저하게 공개할 계획이다.

아토피성 피부염도 신기하게

강 병 주
(경남 진주시 성바오로병원 원장)

내가 아토피성 피부염 환자를 많이 접하면서 치료할 때마다 항상 한계에 부딪치는 것은 근본적인 치료가 불가능하다는 점이었다.

스테로이드제제를 쓸 때는 일시적으로 효과가 나타나지만 또 다시 재발하면 환자 부모들에게 무척 죄송스런 마음이 들 때가 한두번이 아니다.

여기에서 발표하는 치유 사례는 상당히 심한 아토피성 피부염을 자화수를 마시게 하면서 또 자화수로 목욕시켜 완치시킨 경우가 된다.

이 환자는 생후 24개월의 구○성 아기로, 출생 직후부터 아토피성 피부염으로 진단되어 무척이나 부모님들을 고통받게 했다.

이 아기는 늘 가려워서 보챌 때가 많았고, 다소 성장이 지연되는 현상도 관찰되었다.

아기의 증상이 심할 때는 할 수 없이 피부과 병원을 찾아가 임기응변식으로 치유할 수 밖에 없었다.

때로는 너무 많이 긁게 되어 온 몸이 벌겋게 변했고 진물도 나며 긁은 자국은 이내 피부가 각질화 되어 두껍게 변해 버리기도 했다. 어떤 때는 두껍게 된 피부가 흉물스럽게 보이기도 했다.

그런데 나의 권고를 받아들인 부모는 자화수기를 설치하여 자화수를 먹이고 일주일에 3번꼴로 자화수로 목욕을 시킨 결과, 보름도 채 못되어 두꺼워진 피부들이 정상 피부로 변했고 그 이후로는 전혀 가려워하지 않았다.

이때, 부모들의 기쁨은 얼마나 대단했겠는가? 너무나 심각했던 아토피성 피부염이 약으로도 치료가 안 되었는데 자화수라는 물로 쉽게 치료가 되었으니 말이다.

어쨌든 자화수는 아토피성 피부염 환자에게도 탁월한 효과를 보여주고 있는데, 의학계에서 완전히 인정은 안 받았지만 이론보다 효과로써 묵묵히 효능을 과시하고 있다.

자화수로 약 보름동안 처치받은 후, 구○성 아기는 성장상태도 양호해졌고 음식물의 섭취도 왕성해졌다.

사실 아토피성 피부염이 오래 지속되면 같은 알레르기성 질환인 기관지 천식 등도 유발될 우려가 있어 적잖이 신경이 쓰이는 것이 지금의 현실이다.

나는 이상에서 언급한 아기 외에도 자화수로써 아토피성 피부염 환자들을 치료하고 있다.

물론 치료 결과는 현재 아주 양호하다. 자화수는 습성 아토피뿐만 아니라, 건성 아토피 환자에게도 효과가 좋기 때문에 앞으로의 연구 결과가 자못 흥미만점이 될 것이다.

무좀에 약을 쓸 필요가 있을까?

강 병 주
(경남 진주시 성바오로병원 원장)

가장 흔한 피부병 하나를 지적하라고 한다면 대부분은 서슴없이 무좀이라고 대답할 것이다. 그만큼 무좀으로 고생하는 사람들이 많다는 얘기가 된다.

계절적으로는 봄, 여름에 걸쳐 무좀이 극성을 부릴때가 많다.

여기에서 소개하는 환자는 30대 중반인 김○애씨의 경우이다. 이 환자는 평소 보험 모집인으로 활동하고 있었기 때문에 하루종일 걸어 다닐 때가 많았다. 그리고 업무상 땀을 많이 흘리게 되어 누구보다도 무좀에 시달릴 수 밖에 없었다.

하지만, 아무리 가려워도 손으로 박박 긁을 수도 없었으므로 답답해 미칠 지경이었다. 친구들이 효과가 좋다는 연고를 사와서 발라봤지만 그때 뿐이었다.

얼마나 답답했는지 수세미로 박박 긁을 때도 있었다.

무좀에 시달린 지 벌써 5년이 되는 김○애씨는 직업적인 이유로 늘 발에 땀이 흥건히 젖어 있으므로 하루에도 면양말을 두세번씩 갈아 신을 수 밖에 없었다.

무좀이 심할 때는 발가락 사이에 좁쌀만한 물집들이 온통 퍼져 있었다. 일을 마친 후, 집에 오면 발에서 악취가 진동할 정도였다.

김○애씨는 봄, 여름 뿐만 아니라 겨울에도 심했기 때문에 병원에 한번 상담하러 왔었다.

그때의 상태는 너무 악화되었기에 경구용 항진균제를 사용할까 하다가 이분이 평소 위장도 좋지 않았던 점을 감안해 자화수 세족법[자화수로 발을 씻게 하는 방법]을 추천하여 주었다.

이분은 나의 권고대로 겨울임에도 불구하고 대야에 차가운 자화수를 담아 매일 약 10분씩 씻었다. 비록 발이 무척 시려왔지만 훌륭하게 인내로서 이겨 내었다.

그렇게 매일 약 1주일 동안 자화수로 발을 씻는 동안 그렇게 심했던 발의 무좀이 서서히 낫기 시작했다.

약 20일 정도 씻기를 계속한 어느날 발톱의 무좀이 낫기 시작하면서 이전의 흉칙했던 발톱 두개가 사라지고 새로운 발톱이 아래에서 나기 시작했다.

이 얼마나 놀라운 사실인가?

보통의 경우, 발톱의 무좀은 경구용 항진균제로 사용했을 때 잘하면 6개월 후에 치료 효과가 나타난다. 발톱의 무좀에는 바르는 연고는 전혀 효과가 없다.

참으로 발톱이나 손톱의 무좀 치료에는 인내를 요구한다.

어떤 경우에는 잘 치료된 손·발톱의 무좀이 재발되는 수도 있다.

잘 낫지 않는 무좀에 자화수로 효과를 본 김○애씨는 업무를 마친 후에 집에서 꼭 자화수를 대야에 담아 발을 씻는다.

자화수를 무좀 치료에 이용한 지 벌써 2개월이 넘은 지금에는 그렇게도 심했던 무좀이 모두 나아버렸다.

이 분은 그후 무좀으로 고생하는 분들에게 어김없이 자화수 세족법을 권한다고 한다.

아마도 자기가 겪은 고생을 이웃 사람들에게 까지 경험하지 않도록 하려는 거룩한 마음씨 때문이라고 생각한다.

우리 의사들도 하루종일 서 있는 경우가 많아 무좀으로 고생할 때가 있는데 자화수의 효과를 한번 경험해 보면 환자들에게도 많이 추천할 수 있지 않을까 싶다.

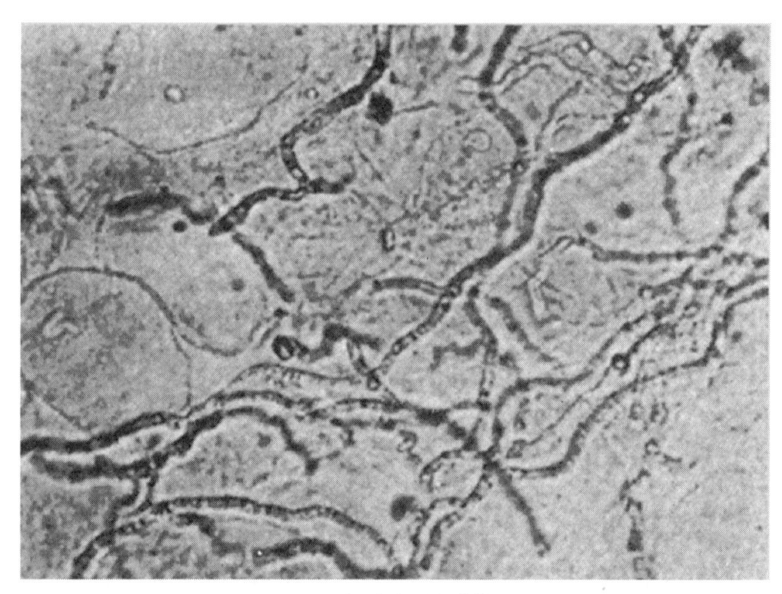

무좀의 백선균(白癬菌)

주부습진을 고친 한 주부

강 병 주
(경남 진주시 성바오로병원 원장)

주부습진이 얼마나 골치아픈 병이냐 하는 것은, 이 병에 걸린 주부들이 손을 잘 드러내지 않을려고 하는 데서도 쉽게 알 수 있다.

우선 손바닥이 잘 갈라지니까 항상 로션을 바른다. 하지만 로션을 많이 바르면 합성세제의 성분인 계면활성제가 오히려 피부를 해친다는 사실을 아는 주부들이 얼마나 될까?

한편, 땀이 많이 나는 주부들은 면장갑을 끼고 겉에 고무장갑을 낀다고 한다. 내가 가장 인상 깊게 치료한 주부의 경우를 들어보겠는데, 진주시 지역의 서민 아파트에 살고 있는 올해 35세인 김○숙 주부의 얘기이다.

김○숙 주부는 평범한 주부들과 마찬가지로 물일을 많이 하는 편에 속한다. 그래서 5년 전부터 무척 고생하고 있는데 다름 아닌 주부습진 때문이다.

김○숙 주부는 처음에는 고무장갑을 끼지 않은 채로 물일을 많이 하였는데 손이 거칠어지기 시작하자 즉시 고무장갑을 끼고 일을 했다.

하지만 고무장갑을 끼고 일을 하면 더욱 손이 거칠어질 뿐만 아니라 땀이 너무 나서 더 불편했다.

겨울 같은 계절에 물일을 하루종일 한 뒤 손을 살펴보면 손바닥이 쩍쩍 갈라져 있고 손가락 끝은 빨갛게 변해 몹시 가렵기까지 했다.

할 수 없이 피부과 병원에 가서 하소연을 하지 않을 수 없었다. 그렇지만 피부과 의사가 주는 연고나 먹는 약은 복용하고 발라 봐도 별로 효과가 없었다. 단지, 가려움만 해소될 뿐이었다. 약 5일 정도 병원에 다니다가 별 진전이 없어 치료를 포기해 버렸다.

그런 후에 이 주부는 시골 한의원에 찾아가서 첩약을 한보따리 지어와서 나을 것이란 희망을 가지고 먹었는데, 도무지 좋은 반응이 없어 주부습진은 난치병중의 난치병이란 생각으로 거의 치료를 포기해 버렸다.

그런데 이웃 아주머니의 말을 듣고 혹시나 주부습진을 치료할 길이 없을까 하고 나의 진료실을 방문했다. 이때는 방학 때라 무척 진료에 바빴으나 잠시 시간을 내어 상담에 응해주었다.

요즘은 물일을 덜 하기 때문에 주부습진이 전처럼 심하지는 않다고 이야기하는 것이었다.

그렇지만 내가 관찰해 본 김○숙씨의 손바닥은 주부습진 중에서도 상당히 심한 증상에 속했다.

그래서 나는 대뜸 지금 집에서 쓰는 물을 바꾸어 보라고 했다. 그분은 나의 말에 돌연 놀라며 물을 어떻게 바꿀 수가 있느냐고 반문 하길래 '그건 어렵지 않습니다. 제가 이야기하는 대로만 하십시오'라고 자세하게 설명해 주었다. 누구나 대개 먼저 자화수로 치료해 보라고 하면, 이때까지의 약물 의존습성이 뿌리 깊다 보니 쉽사리 그 효과를 잘 믿으려 하지 않을 것 같았다.

아마도 요즘의 세상에는 너무나 불신풍조가 많다는 것이 하나의 이유가 될듯하다

사이비 건강론을 펴는 사람들이 자주 신문지상에 허위광고를 하는 것이 다반사이기 때문이다.

나의 진지한 설명에 귀를 기울여 준 김○숙씨에게는 결과적으로 치료 효과로써 보답한 셈이 되었는데, 이만큼 좋은 봉사가 그리 흔할까 싶어 나는 매우 흐뭇했다.

김○숙씨는 내가 자화수로 물일을 하라고 부탁한 5일째부터 손바닥의 금간 것이 아물어지고 가려운 증세가 완전히 사라졌다고 무척 신기해했다.

나는 왜 주부습진이 그렇게 쉽게 좋은 물로 치료되는가에 대한 이론적인 설명을 김○숙 주부에게 납득시킬 수 있었다.

물때문에 얻은 병을 물로써 치료했다니까 처음에는 쉽게 믿으려고 하지 않았지만, 자화수의 그럴만한 효과에 관해 나로부터 설명을 들은 연후에는 고개를 끄떡이곤 했다.

그분은 이렇게 좋은 물로 물일을 안심하고 할 수 있다는 것에 감사드리면서 자기와 같은 처지에 놓인 주부들에게 널리 알려야겠다고 해맑은 얼굴로 병원 문을 나섰다.

만성 두통을 해결한 할머니

강 병 주
(경남 진주시 성바오로병원 원장)

두통이야말로 인류의 역사와 더불어 발생한 증상이라고 말해도 지나치지 않으리라.

두통은 대개 두개부의 통증에 국한하는 것을 말하는데 실질적으로 뇌안에 있는 조직에 질병이 있을 때에 일어나기도 하지만 대개는 정신적 요소와 밀접한 관계가 있거나 개인의 성격과도 무관하지 않다.

요즈음 흔히 문제가 되는 신경성 두통은 통계적으로 보더라도 날로 증가하는 양상을 보이고 있다.

이 신경성 두통은 정신적인 긴장이나 과도한 스트레스, 불안 등이 주요 원인인데 근육이 긴장함으로써 두통에 관계하는 신경들이 당겨지거나 눌리기 때문에 생겨난다.

서울에 사시는 72세 할머니인 김○분씨는 20년 전부터 남편의 사망, 집안의 경제적 궁핍 등으로 마음이 편할 날이 없었기에 늘 두통으로 시달려 왔다.

가벼운 두통이면 참고 지내지만 심한 경우에는 어쩔 수 없이 약국에 가서 사리돈 같은 진통제를 사먹곤 했다.

하지만 날이 갈수록 두통은 심해져 병원에 가볼 정도까지 되었다. 병원에서 여러가지 진찰을 받고 의사에게서 듣게 된 얘기는 신경성 두통이니까 신경을 너무 많이 쓰지 말라고 하면서 약을 건네준다.

할머니는 의사의 얘기가 귓전에 울리는 것을 뒤로 하고 병원을 빠져 나왔다. 20년간 이 할머니가 신경성 두통으로 고생하신 것을 옆에서 지켜 본 자식들도 마음이 편할리가 없었다. 신문광고에 나오는 약들이 혹시나 근본적으로 치료해 줄까 기대하고 구매하여 복용하도록 하였지만 뾰족한 반응은 없었다.

이같은 신경성 두통은 의사의 입장에서 볼때, 생활중에서 고쳐 나가야 하는 것이다.

가족들이 나에게 할머니의 증상을 진지하게 설명할 때, 나도 신경성 두통의 치료를 위해 최선을 다해 볼 생각이었다. 그래서 나는 할머니에게 우선 자화수로 치료한다면 처음부터 믿지 않을 것 같아서 이번에 사용하는 두통 치료제는 물에 잘 녹아야만 효과를 보는 것이므로 하루에 4～6회 물을 잘 마시되 그것도 아주 천천히 씹어 먹듯이 마셔야 효과를 본다고 말씀드렸다.

할머니는 이 이야기에 귀가 솔깃하여 그렇게 하겠다고 하기에 그날부터 자화수를 음용 하시게 했다. 이것은 의학적인 견지에서 보면 일종의 위약효과(僞藥效果)인데 할머니는 최신식 약이라는 말에 일시적으로 속아 넘어가 자화수를 마시게 되었던 것이다.

자화수를 마신지 이틀도 채 못되어 뭔가 두통 증세가 덜하고 머리가 갈수록 개운해진다고 했다.

약 3일 후에 할머니에게 진실을 그대로 말씀드려야 되겠다 싶어 사실은 약이 아니고 자화수라는 신비로운 물을 마시게 했다고 실토했다.

사실 할머니의 고향은 시골이었기에 시골에서 좋은 물을 마셨을 때는 골치 아픈 일이 있어도 요즘과 같은 두통이 전혀 없었다고 고백하는 것이었다.

실로 기적적인 현상이다.

이 할머니는 자화수가 과학적으로 어떠한 물인지는 잘 몰라도 어쨌든 물이 목으로 쉽게 넘어가고 머리가 무척 맑아진다고 실토했다.

지금쯤은 자화수를 마신지 꼭 한달째 된다. 전화로 설문조사를 했을 때, 지금은 약을 안먹어도 두통을 거의 못 느끼고 있다고 기뻐하신다.

이제 할머니는 더욱 여유있는 마음을 가지실게다. 마음에서 오는 원인이 대부분인지라 신경성 두통도 넉넉한 마음으로 맑은 자화수 한잔을 마시노라면 자기도 모르게 슬슬 긴장이 풀려서 두통에서 해방되리라.

집단 폭행으로 인한 뇌진탕 후유증에도

강 병 주
(경남 진주시 성바오로병원 원장)

끝까지 자기의 성(姓)도 노출되기를 꺼려한 할아버지!

일제때에 학병으로 끌려가 젊은 청춘을 남태평양 땅[지금의 인도네시아, 수마트라, 말레이지아, 싱가폴]에서 보낼 수 밖에 없었고 조국의 군대가 아닌 일제의 군대에서 충성을 강요당했다는 비극적인 주인공인 할아버지였다.

일본 군대의 군기는 엄했기로 정평이나 있었는데, 한국인이었기에 오히려 천황의 군대라고 하면서도 지나칠 정도로 혹사당했다고 힘주어 말하는 올해 73세의 백발 노인—.

한번은 군기를 어겼다고 일본군 상사들에게서 몽둥이로 머리, 몸통할 것 없이 실컷 두들겨 맞았다고 했다.

이같은 일본군 생활에서 고대하던 조국의 해방소식을 듣고 얼마나 기뻐했는지, 나라 잃은 설움을 모르는 지금의 젊은이들은 그러한 감격을 이해할 수 없을 것이라고 이야기 하면서 어느덧 눈가가 붉어진다.

할아버지가 지독하게 당한 폭행은 조국이 해방된 이후, 수송선을 타고 일본으로 가는 선상에서 일어났다.

남양 일대에 끌려온 대만인들과 우리 조선동포들 사이에는 늘 급식문제 때문에 잦은 충돌이 있었는데, 우리 동포들에게 불만을 품은 대만인들이 어느 날 몰래 이 할아버지를 비롯한 조선인들이 자고 있는 틈을 이용해 집단폭행을 가했던 사건이 터졌다.

이 소식을 듣고 우리 동포들이 구원해 사태가 수습은 되었지만 할아버지를 비롯한 몇몇 분들이 머리, 허리 등에 심한 상처를 입게 되었다.

할아버지는 조국 해방의 기쁨도 잠시 뒤로 한채 고향의 생가에 돌아와 수개월간 요양을 받고 회복되었다.

그런데 해방 이후, 좌 우익간의 싸움이 치열할 당시, 서북청년단과 할아버지가 속한 민족 단체간에 신탁통치 문제를 놓고 한판 몸싸움이 일어났을 때쯤 아직 완전히 회복되지 않은 뇌진탕이 더욱 악화되었다.

그후부터 정치에 아예 손을 끊다시피 하고 치료에 전념하여 거의 완전한 회복이 이루어졌다.

그러나 50세 이후부터는 비오는 날이거나 습도가 높으면 예전에 집단폭행을 당한 두개골 부위와 허리가 쑤셔오고 따끔거린다고 했다.

그래서 온갖 약을 사서 먹고 심지어는 머리에 쑥뜸도 하곤 했다. 하지만 그때 그때 임시방편의 효과만 나타났을 뿐이고, 장마철이 되면 더욱 악화되어 죽은 피가 모여 굳어진 자국이 더욱 커진다고 하는 것이었다.

나는 그러한 얘기를 쭉 듣고 나서 거침없이 자화수를 마셔 볼 것을 강력하게 권유했다.

자화수는 혈액순환에 특히 좋은 물이므로 할아버지의 뇌진탕 후유증이 의외로 쉽게 효과를 보리라는 자신감이 앞섰기 때문이다.

자화수를 2개월간 꾸준히 마셨다는 할아버지가 한번은 직접 의원에 찾아와서 기쁜 소식을 전하겠다고 하기에 들어보니까, 예전에 머리가 쑥쑥 아리던 통증이 현재는 거의 사라지고 머리에서 시커먼 딱지들이 자꾸 떨어져 나오고 이 딱지를 뗄 때마다 아주 머리가 시원하더란다.

이때까지 수없이 많은 약을 복용한 경험이 있기에 물로 치료되었다는 사실은 참으로 믿기가 어려웠다고 고백하면서 연신 신기하다는 말만 되풀이 했다.

숙취 예방에도 자화수가…

강 병 주
(경남 진주시 성바오로병원 원장)

술꾼들의 고민 중 하나는 바로 술 마신 뒤의 숙취 때문이다. 술을 먹을 때의 즐거움은 어디론가 사라지고 다음 날 아침에 경험하게 되는 빠개질 듯한 머리, 울렁거리는 속 때문에 고통받게 된다.

다시는 술을 안 먹겠다고 다짐하는 것도 일순간이고, 그러한 고통이 해결되고 잊혀질 만한 때가 되면 슬슬 술 마시고 싶은 유혹이 가슴 깊숙이 치밀어 오른다. 코가 빨개질 정도로 술이라면 사죽을 못 쓰는 사업가인 김○태씨 (45세)—.

그는 매일 먹다시피하는 분이기에 그가 당하는 숙취의 고통은 대단하단다. 물론 김○태씨가 늘 마시고 싶어서 먹는 것은 아니다. 그가 거래하는 상대방들이 대부분 술꾼이라서 어쩔 수 없이 응할 때가 많다고 한다.

그는 우리나라의 음주 풍토를 개탄하는 사람 중의 하나이기도 하다. 일전 김○태씨의 간장에 초음파 검사를 해봤는데, 벌써 지방간이 어느 정도 진행된 상태였다.

이런 상태로 5년 이상 술을 마시면 알콜성 간경화가 올지 모르겠다고 진심어린 충고를 해주기도 했다.

그러나 저러나 나보고 숙취를 예방하는 방법이 없겠느냐 애교(?)를 부리기에 나는 제일 좋은 숙취 예방법이 하나 있는데 끝까지 실행할 수 있겠느냐고 물었다.

그의 진지한 표정을 생각하여 자화수가 숙취를 예방하는 데는 최고라고 얘기해 주고 잘 활용하여 기분좋게 지내라고 다독거려 주었다.

내 말을 듣고 즉시 실천에 옮긴 김○태씨는 얼마 후, 아침에 병원에 출근하자마자 희희낙낙한 표정으로 나를 반갑게 찾아왔다 무슨 물이길래 어제 진탕 술을 마시고 딱 차가운 자화수 석잔 마시고 잤는데 아침에 기분이 상쾌해졌고 숙취는 거의 못 느낄 정도였다고 입에 침을 튀기면서 수다를 떨었다. 나는 그저 빙그레 웃을 뿐이었다.

김사장은 이제 숙취에서 완전히 해방되었으니 아침에 번거롭게 콩나물국을 안끓여 먹어서 좋고, 술깨는 비싼 드링크를 구입할 필요가 없어졌다고 하면서 나에게 한턱 크게 내겠다는 것이었다.

나는 기우일지는 몰라도, 술을 자주 많이 마시면 다른 성인병을 더 유발시킬 수 있기 때문에 되도록이면 건강관리에 충실하도록 이야기해 주었다.

숙취의 원인은 앞에서 설명한 바와 같이 술이 아세트 알데하이드라는 독성물질로 변하고, 쉽게 대사되어 체외로 빨리 배출되지 않아 생겨나는 것이다.

생활의 지혜란 무척 가까운 데서도 많이 발견할 수 있는 것이다.

자화수 같은 물만 미리 취침하기 전에 마셔 두면 숙취를 간단히 물리칠 수 있는데, 1병에 몇 천원씩 하는 술 깨는 약을 어리석게 사먹을 필요는 없다.

돈이 너무 많아서 주체를 못하는 졸부들이야 그렇게 돈을 낭비해도 좋겠지만, 알뜰한 셀러리맨들은 나의 말에 동감할 것으로 생각한다.

김사장의 예는 우리 주변에서 흔히 보는 것인데, 모든 질병이나 고통은 사전에 되도록 예방하는 것이 현명하다고 생각한다.

만성 피로의 해결사는 바로 자화수

강 병 주
(경남 진주시 성바오로병원 원장)

늘 만성적인 피로에 시달려 온 박○자 할머니와 김○애 할머니, 이 두 분의 한결같은 공통점은, 빨래를 조금만 해도 몸이 쉽게 무거워져 곧 잠자리에 들고 조금만 서 있어도 피곤을 곧 느끼게 된다는 점이다.

또, 피로를 많이 느낀 후에는 입술이 잘 터지고 열이 나며 얼굴이 몹시 붓는 경우가 다반사라고 한다.

이들 할머니는 자주 저희 병원에 오시는 분들이기에 나는 소상하게 증상을 잘 알고 있다.

두 분 할머니들은 10년 전부터 피곤할 때 마다 영양제나 건강식품을 꼭 드셔왔단다. 그러한 연고로 집에는 영양제 상자가 수북히 쌓여 있고, 또 여러 회사에서 판매하는 건강식품 박스가 테이블 위에 놓여 있는 실정이다.

그런데 시중 약국에서 파는 영양제나 건강식품 대리점에서 파는 건강식품 등이 그 효과에 비해 가격은 매우 비싼 편이다.

이러한 점을 고려해 볼때, 소비자들의 피해상황은 행정 당국이 눈감을 성질의 것이 아니다.

무릇 오랫동안 피로하다 보면 사람들은 엉뚱하게 비싼 보약이나 영양제 또는 건강식품 등을 필요 이상으로 선호하는 경향이 있는데, 이는 아주 잘못된 습관으로서 여기에 예를 든 두 할머니의 경우를 본보기로 삼을만하다.

이 두 분 할머니는 내가 추천해 준 자화수를 계속 마신 후, 10일도 못되어 효과를 보았는데 일을 많이 하고 나서도 자화수를 마시면 피로감이 해소되고 예전 같으면 어깻죽지가 내려 앉을 정도로 피곤하였는데 지금은 아주 가뿐하단다.

이것뿐만이 아니다. 항상 눈이 무겁고 침침했는데 그런 증상도 완전히 가셨다고 한다.

팔다리가 쑤신 적도 많았는데, 이제는 아무렇지도 않게 되었으니 이 자화수가 도대체 무엇이냐 하는 질문을 나에게 곧잘 던진다.

물론, 이 두 분은 만성변비도 있었는데 덤으로 해결된 셈이다. 사실상 만성피로라고 하는 것은 병원에서 진찰했을 때, 객관적인 결함이 없는데, 주관적으로 당사자들이 갖가지 증상을 호소하는 것을 일컫는다.

이 할머니들은 올해 연세가 각각 60세, 66세인데도 나이에 비해 젊은 여자 못지않게 다리도 튼튼하고 기력이 좋은 편이다.

예전에는 창백한 얼굴들이었는데 자화수를 마시고 나서는 혈색이 더욱 좋아졌다.

이제는 비싼 건강식품이나 영양제를 사먹겠다는 얘기를 하지 않게 되었다.

이제는 그럴 필요도 없게 되었기 때문이다.

우리들 주위에는 아직도 떠돌아다니는 잡상인들이 많아서 무슨 영지 · 인삼 · 살모사 · 로얄젤리 등을 섞어 만든 약이라는 얘기에 속아 넘어가 구입하는 분들이 많다. 참 안타까운 일이지만 이것이 우리 한국적인 현실이요, 자화상이다.

분명히 말하지만, 만성피로는 좋은 물만으로도 얼마든지 쉽게 해결할 수 있는 것이다. 혹시 나의 주장에 의혹을 가지는 분이 있다면 그런 분과 만나 의혹이나 의심을 풀어줄 용의가 있음을 밝혀 둔다.

거듭 말씀을 드리자면, 자화수를 아무리 마셔도 부작용이 없는 만큼 누구나 한번 속는 셈치고 마셔보라는 것이다. 복잡한 이론보다도 한번의 체험이 더 중요하기 때문이다.

당뇨병에도 자화수의 놀라운 효과

강 병 주
(경남 진주시 성바오로병원 원장)

우리 병원에서 종합건강진단을 하다보면, 40세 이상에서 당뇨병의 검진율이 무려 50%에 이른다. 옛날과 달리, 그만큼 당뇨병은 흔한 질환이 되었고, 대표적인 성인병이라고 볼 수 있다.

체중이 거의 80kg에 육박하는 40세 김○례 아주머니의 실례를 소개하겠다. 이 아주머니는 약 2년 전만 하더라도 체중이 60kg였었는데 식당을 경영하면서부터 무려 체중이 20kg나 증가했다는 것이다.

이분이 6개월 전에 진주 시내의 모 종합병원에 가서 진찰해보니 혈당 180(공복시 측정)mg/dℓ라는 수치가 나왔다고 하면서 나를 찾아왔다. 나는 자각증상이 없는지를 그 환자에게 물어보니 전신피로감과 관절통이 있다고 했다. 인슐린 비의존성 당뇨병이었기에 우선 운동을 통해 체중을 뺄 것과 적절한 식이요법을 권했다.

환자분에게 집에서 물을 어떻게 마시느냐고 물어보니까 식당을 하면서 늘 끓여 물을 마신다고 하길래 나는 물을 끓여먹지 않아도 요즘은 수돗물이 소독을 한 상태이므로 수인성 전염병 같은 것을 걱정할 필요는 없다고 대답했다.

또, 수돗물을 안 끓여 먹으면 중금속에 중독되지 않느냐고 하기에 요새 지하수를 비롯해서 오염 안된 것이 있느냐고 반문했다.

뚱뚱한 사람들은 대개 물을 잘 섭취하지 않는다. 물을 많이 마시면 살이 더 찐다는 미신에 빠져있기 때문이다.

다시 한번 강조하건데, 물은 살을 빼는데 분명히 도움을 주지만 물을 먹어서 살찌는 법은 절대로 없다.

비만증과 당뇨병이 있는 사람이 좋은 물을 섭취하지 않으면 비만과 당뇨병은 악화되기 마련이다.

나는 식이요법 중에서도 자화수 섭취를 무척 강조해 왔는데 아주머니의 경우, 자화수를 계속 마시게 하고 15일 후에 혈당검사를 하였더니 혈당치가 150mg/dℓ로 떨어졌다. 체중도 5kg이 빠졌다.

1개월 후에 다시 혈당검사를 해본 결과, 135mg/dℓ로 나오길래 아주머니에게 한번 물어봤더니 열심히 운동을 하고(예 : 줄넘기, 조깅 등) 자화수가 목에 잘 넘어 가길래 하루에 2.5ℓ 정도를 마신다고 했다. 또한 체중을 측정한 결과 5kg가 더 감소되었다. 정확히 체중은 68kg이었다. 한마디로 놀라운 결과였다.

처음에는 자화수에 관해 이해를 못해서 수차례 설득한 끝에 어렵사리 자화수를 마시게 하였는데, 이제는 거꾸로 나에게 자화수를 많이 마시라고 충고하는 것이 아닌가.

우스워서 참느라고 꽤나 애를 먹었다.

이대로 아주머니가 계속적으로 식이요법과 운동을 병행하면 당뇨병의 완치는 이미 예약해 둔 것과 다름이 없다.

자화수로 고혈압 관리가 성공했다

강 병 주
(경남 진주시 성바오로병원 원장)

고혈압이란 치료하는 것이 아니라 관리해야 한다는 점을 누구나가 알아야 한다.

아직까지 고혈압의 원인은 확실히 규명되어 있지 않은데, 95% 정도가 이른바 본태성 고혈압이다.

일반적으로 고혈압이라고 진단받은 사람은 바로 이러한 본태성 고혈압을 두고 말한다.

따라서 고혈압 환자들이 제일 명심해야 될 사항은 높은 혈압을 혈압강하제로 낮추어 정상치가 되었다고 해서 안심할 일이 아니라는 것이다.

간혹 어떤 고혈압 환자들은 혈압이 정상적으로 되었기 때문에 더 이상 약을 안 먹어도 되는 줄 알고 중도에 투약을 중지해서 낭패를 보는 경우가 종종 있다.

결국, 고혈압 환자의 혈압을 적절하게 낮추어 줌으로써 영양분과 산소를 필요로 하는 조직세포에 정상적으로 그것들을 공급해 주는 데서 의의를 찾을 수 있는 것이다.

조금 의학적인 표현을 하자면 혈관역동학적인 안정성을 유지하는 것이야말로 적절한 혈압관리의 목적이라 하겠다.

혈관에는 α-수용체와 β-수용체가 있는데 혈압강하제는 이들 수용체를 상호 항진, 길항시키는 작용을 함으로써 혈압을 조절한다.

현재의 혈압강하제와 마찬가지로 자화수라는 물도 혈관역동학적인 균형을 유지시킴으로써 혈압을 적절히 관리할 수 있음을 여실히 보여 주었다.

올해 68세인 임○태 할아버지가 고혈압 관리에 대표적으로 성공한 예인데, 이 분은 여러 병원에서 10년전 고혈압 진단을 받았다.

고혈압 강하제를 꾸준히 복용해 왔으나 먹기가 너무나 귀찮은 정도라고 한다.

평소의 혈압을 보면 약을 먹고 있는 상태에서 최고 혈압은 180~200mmHg, 최저 혈압은 120~140mmHg이었다.

사실 약을 잘 먹게끔 하는 척도인 환자의 순응도를 높이는 일은 상당히 어려운 일이다.

최근에 이 분은 약 먹기가 싫증이 나서 술을 자주 먹을 정도로 고혈압의 관리에서 실패 징후를 보여 왔다.

우연히 할아버지와 연결이 되어 한번 상담을 갖게 되었다.

이제는 정말 약을 먹기가 싫어졌다는 그분의 표정은 자포자기한 상태가 아닌가 할 정도로 처참한 모습이었다.

그래서 나는 할아버지에게 자화수를 지속적으로 마셔볼 것을 권고하였다. 별 부담을 느끼지 말고 마시라고 부탁을 드렸다.

그런데 이분은 자화수를 마신지 1개월이 경과했을 때, 약을 끊은 상태에서 최고혈압은 180～190mmHg, 최저혈압은 100～110mmHg 이었다.

아주 흥분한 상태에서 혈압을 재어보면, 최고혈압은 200mmHg, 최저혈압은 120mmHg이 었다.

임○태 할아버지의 혈압관리는 현재의 시점에서 보면 낙관적으로 볼 수 있다.

혈압을 우선 지속적으로 관리한다는 측면에서 볼때, 자화수라는 물을 꾸준히 마셔 혈압이 적정한 수준에 유지된다면 이건 일종의 쾌거라고 할 수 있다.

혈관의 탄력성은 혈관이 얼마나 깨끗하느냐에 달려 있다.

혈관에 중성지방이나 총 콜레스테롤이 많은 상태에서는 혈관 탄력성이 잘 유지될 수가 없기 때문이다.

자화수는 혈관내의 노폐물을 신속하게 제거 내지 대사시켜 혈관을 깨끗이 청소한다는 점에서 고혈압의 관리는 그리 어려운 문제가 아니라고 보는 것이다.

동맥경화증과 통증도 자화수로 치료

강 병 주
(경남 진주시 성바오로병원 원장)

동맥경화증이란 동맥이 탄력성을 잃고 차츰 굳어지는 증상이다. 뇌나 심장의 동맥 등이 굳어질 때 생기는 문제들은 중풍이나 심근경색증 같은 허혈성 심장병 등이다.

문제는 동맥이 굳어지지 않도록 탄력성을 유지시키는 일이다.

농장을 경영하는 45세 김○일 사장은 평소 가슴떨림이 심하고 가끔씩 가슴이 떨리는 등 통증이 심해 서울의 권위있는 대학병원에서 심장혈관조영술을 실시한 결과, 우측 전하방관상동맥의 일부 구간이 막혔다는 것이다. 진단명은 이형협심증이었다.

이 진단을 받은 후, 일단은 약물치료를 시작해서 한번 반응을 살펴보자는 것이 담당과장의 입장이어서 그대로 순종했다.

한편, 농장경영에 별로 신경쓰지 않다보니 무척 마음이 평온했고 적절한 운동으로 체중도 조금씩 줄어들었다.

그런데 가끔 협심증 발작이 일어나 니트로글리세린이란 응급약을 먹어 임시적으로 해결을 하였으나 가슴의 통증은 일주일에 두

세번 발생했다.

나는 이 환자분의 투병과정을 상세히 듣고 나서 최대한 도움을 주고자 했다.

협심증 처방약은 우리 병원에도 많이 있고, 환자 자신도 대학병원에서 계속 약을 타먹고 있기 때문에 약에 대한 의존보다는 자화수를 꾸준히 마시도록 권유했다.

자화수를 자주 마셔서 협심증에 나쁜 영향을 끼칠 이유는 전혀 없었으므로, 사장은 기꺼이 자화수 음용에 찬성이었다.

3개월에 한번씩 대학병원에 가서 정밀진단을 받았는데, 자화수를 마신 후에 찍은 심장혈관의 사진에서 협착정도가 많이 풀렸다고 한다. 담당의사는 약의 효과가 좋았기 때문이라고 판정을 내렸다.

그런데 사장의 경우, 자화수 음용이 관상동맥에 어떠한 순기능을 발휘했는지 전혀 고려되지 않은 채 일방적으로 협심증 치료약의 효과라고만 단정을 내려버렸다.

내가 임상에서 빈맥을 동반한 흉통(가슴앓이) 환자들에게 자화수를 권해 본 결과, 나의 의견을 받아들인 분들 중 80%는 자화수를 마셔 흉통이 개선되었지만 받아들이지 않은 사람은 전혀 호전반응이 없었다.

그런데 가슴통증이라고 해도 심장에만 100% 원인이 있는 것이 아님을 이 기회에 알아둘 필요가 있다.

가슴통증의 원인은 심장병, 위장병, 갈비뼈의 타박상, 가슴근육의 결림 등이 주요한 원인들이므로 흉통이 조금 있다 해서 무조건 심장질환으로 오판하면 안된다.

먼저 빈맥이 동반되면, 심장의 관상동맥에 많은 혈액공급이 원활하게 이루어지지 않으므로 산소를 많이 필요로 하는 심장조직은 허혈현상[피가 모자라는 현상]이 더욱 심해진다.

따라서 빈맥을 억제시키는 역할이 대단히 중요한데, 나는 기계적으로 빈맥억제제를 추천하지는 않는다. 대신 자화수를 마심으로써 빈맥을 억제하는 간단한 방법을 소개하겠다.

우선 호흡을 최대한 천천히 하도록 의식적으로 노력하라. 그런 연후에 자화수를 5초에 한 모금씩 마셔보라. 그러면 호흡이 느려짐과 동시에 심장박동 또한 천천히 이루어질 것이다.

그러면 가슴통증이 점차 완화되면서 마침내는 완전히 사라질 것이다.

독자 여러분들 중에도 사장 같은 경험을 가진 분들도 있을지도 모르지만 가슴통증이 생기는 원인을 체계적으로 알고 나면 이를 근본적으로 예방하는 지혜의 눈이 발달하게 될 것이다.

방광무력증을 극복한 이야기

강 병 주
(경남 진주시 성바오로병원 원장)

15년 전부터 오줌발이 시원하지 않았던 김○자 할머니는 요즘 신이 나서 동네 할머니들에게 시간만 나면 연신 자랑이 대단하다.

가끔 감기와 변비때문에 우리 병원을 찾는 할머니에게 무척 정다움을 느껴 나는 병원 원장이 아니라 아들이 어머니를 대하듯 그분을 맞아들인다. 할머니는 남들에게 자랑할 수도 없는 사연이 하나 있었는데, 항상 오줌발이 약하다보니 내의에 오줌을 잘 적신다고 한다.

그래도 나에게는 살짝 이야기할 수 있을 정도였으니, 내가 흉허물 없는 상담역인 것 같아 마음은 편했다.

사실상, 방광무력증은 오줌소태와는 성격이 전혀 다르다. 오줌소태는 그야말로 때를 가릴 것 없이 기침만 한번 크게 하여도 찔끔 찔끔 소변을 보는 것인데 이런 분들은 친구들과 한번 너털웃음을 웃을 수도 없다.

크게 한번 웃으면 본의 아닌 실수를 하기 때문이다.

하지만 오줌소태의 경우도 최근에는 비뇨기과에서 간단하게 내시경을 이용하여 방광과 자궁간의 각도를 적당히 맞추어 치료할 수 있는 길이 개발됐기 때문에 오줌소태 환자들은 크게 걱정 할 필요가 없다 그러나 방광무력증은 나이가 듦에 따라 체내의 기운이 빠져 잘 생기는데, 부교감신경 항진제를 활용해도 부작용만 많지 효능은 별것이 아니다.

김 할머니는 지난 15년간 방광무력증으로 고생한 이야기를 솔직하게 내 앞에 털어 놓으셨는데 참으로 공감이 많이 갔다.

그동안 소변을 시원하게 볼 수 없었으므로 늘 기분 나쁜 잔뇨감을 갖게 되었고, 여러가지 민간 약제를 써보기도 했지만 신통치 않았다고 한다.

그런데 자화수로 한번 치료해 보지 않겠냐고 은근하게 이야기를 드렸드니 할머니는 즉시 한번 시작해 보자고 적극성을 띤다.

마침내 자화수기를 할머니 집에 무료로 설치하고 자화수를 차가운 상태로 마시도록 했다.

심지어 얼음을 얼려서 자화수를 잘 마신다고 하는데 마신지 일주일도 못되어 오줌발이 시원하고 우선 힘이 있다고 나에게 어찌나 자랑을 하시는지, 할머니의 기나긴 고통 한가지를 해결해 준 나의 기쁨은 실로 의사로서만 느낄 수 있는 벅찬 것이기도 했다.

나는 가끔 일요일만 되면 진주시 변두리의 농촌에 무료진료를 가기도 하는데, 순박한 농촌 어르신들이 겪고 있는 온갖 고통과 애환을 듣다보면 시간 가는 줄 모를 때가 많다. 또한 보잘 것 없는 의료기술과 지식으로 그분들의 고통을 조금이라도 해결해 주고 난 뒤의 보람은 결코 작은 것은 아니다.

앞으로 농촌지역에 자주 가게 되면 방광무력증으로 고생하시는 할머니, 할아버지들을 위해 자화수로 쉽게 치료하는 방법을 가르쳐 드리고 조금 여유만 있다면 자화수기도 거저 설치해 줄 작정이다.

어떻게 신장결석이 자화수로 치료되는가?

강 병 주
(경남 진주시 성바오로병원 원장)

전술한 바와 같이, 신장결석을 성분적으로 분석해 볼때 수산화칼슘결석과 인산칼슘결석이 가장 많은 편이다.

우유를 너무 많이 마시는 경우나 오랫동안 움직이지 않는 경우, 맥주를 과잉 섭취하는 경우 등에 신장결석이 잘 생긴다고 이미 설명한바 있는데, 여기에서는 자화수로 신장결석을 치료한 경험을 언급하겠다.

전라남도 해남이 고향인 46세 윤○식씨는 평소에 포식가이면서도 특히 맥주를 좋아하는 분이다.

맥주를 유독 좋아하다보니 마치 음료수처럼 매일 마시는데 한번 마음놓고 먹게 되면 대략 10병 이상은 마신다고 한다.

우리 독자들 중에는 맥주를 마시면 소변이 잘 나오니까 오히려 결석 치료에 도움이 되지 않겠느냐고 반문할지 모른다. 하긴 간혹 의사들도 무심코 맥주가 결석 치료에 좋다고 이야기를 하기도 한다.

그러나 맥주를 과잉 섭취하는 외국의 예를 들어보더라도 비뇨

기과학회에서 주도면밀하게 연구, 분석한 결과 옥살레이트 성분이 많이 함유된 맥주를 줄곧 마시면 결석 발생률이 높았다는 보고가 발표되고 있다.

윤○식씨는 서울에서 건축사업을 하다보니 자연히 음주하는 기회가 많아졌고 또한 원래가 대식가여서 식성은 대단히 좋은 편이라고 했다.

그러니까 결국 요즘 많이 발생하는 신장결석은 거의 절제되지 못한 음식문화 때문이라고 볼 수 있다.

폭식과 폭음이 주로 성인병의 원인이란 점에서 과거 우리 선조들이 절제하는 음식문화를 만든 것을 보면 그분들의 참지혜에 절로 머리가 숙여진다.

그런데 근래에 들어와 바쁘게 먹는 습관이나 또는 많이 먹는 버릇들이 생겨나 마치 그것들이 대단한 음식문화의 일부인양 오도되었지만 이건 무식소치일 뿐, 건전한 식생활이 정착되기 위해서는 여유있는 마음가짐으로 절제하는 섭식문화가 선행되어야 할 것이다.

윤○식씨는 아주 우연한 기회에 모 병원에서 건강검진을 받을 기회가 있어 X-레이 촬영을 해봤더니 신장결석이 세개나 발견되었다. 다행히 해부학적으로 결석이 꽉 막히는 부위에 없어서 통증은 없었다.

덜컥 겁이 난 윤○식씨는 수술을 받기는 싫어서 체외충격파쇄석술(ESWL)을 받아보기 위해 여러 대학병원에 문의해 봤으나 이미 진료예약이 되어 있어 난감했다.

마냥 계속 기다릴 수 없어서 나에게 상의를 하길래 나는 자화수로 신장결석을 녹일 수 있으니 확신을 가지고 치료해 보자고 설득했다.

그래서 하루에 무려 3ℓ 이상의 자화수를 마신 윤○식씨는 약 1달 후에 초음파와 X-레이 촬영을 한 결과 완전히 신장결석이 소실되었다.

실제로 윤○식씨는 그러한 결과에 어안이 벙벙하여 자화수가 도대체 어떤 근거로 결석을 녹이느냐고 여러 차례 똑같은 질문을 반복했다.

나는 자화수가 놀라운 용해력을 발휘하여 결석을 녹였을 뿐 다른 근거에 관해서는 아직 미지수라고 했다.

의학적으로 볼때 신장결석 정도는 크기만 작으면 자화수가 아닌 물로도 훌륭하게 치료할 수 있다.

단지 자화수는 용해도가 특출할 정도이다 보니 보통 물 보다 결석 용해 효과가 뛰어 날 뿐이다.

만성 신우신염에는 깨끗한 물이 최고다

강 병 주
(경남 진주시 성바오로병원 원장)

나와 친분이 두터운 오 엘리사벳(45세) 아주머니는 독실한 가톨릭 신자로서 무척 존경할 덕목을 갖추고 계신 분인데, 지난 겨울 우연히 연락이 닿아 근황을 알아보니 진주 모 대학병원에서 신우신염이라는 진단을 받고 항생제 치료를 몇일 받는 중이라고 했다.

그분의 얼굴을 보니 과히 혈색이 좋지 않았고, 첫눈에 투병중임을 알았다.

담당의사의 이야기를 들으니까 신우신염의 치료에는 깨끗한 물을 자주 마시는 것이 아주 도움이 된다고 하면서 안정을 취하도록 권고하더란다.

그 말을 듣고 난후 어떤 물을 마셔야 하나 고민을 아니 할 수 없었다.

불법 시판하는 생수라도 사서 계속 마실까, 마시게 되면 비용부담도 적지 않을까, 생수에 세균들이 많다는데 이것을 마셔 과연 신우신염을 치료하는데 오히려 나쁘지 않을까, 등 여러 가지 의견을 가지고 나와 상의를 했다.

주저할 것 없이, 나는 자화수를 만들어 마시라고 정중하게 말씀드렸다.

물론 자화수는 생수에 비해 절대적으로 안전할 뿐만 아니라 세균에 저항력을 가진 물이니까 안심하고 마시도록 두번 세번 강조했다.

나의 말이 결코 빈말이 아님을 확신한 오 엘리사벳 아주머니는 4일 뒤부터 자화수를 마시기 시작했다.

약 6일 정도 자화수를 마신 후, 전화를 걸어 요즘 병세가 어떻느냐 물어보니까 대학병원에 가서 소변검사를 해본 결과, 정상이라는 판정을 받고 더욱 열심히 자화수를 마시고 있으며, 물도 훌륭한 약이 될 수 있구나 하는 것을 새삼 깨닫게 되었다고 감사의 말을 잊지 않았다.

신장부전을 제외하고는 깨끗한 물이 신장병 치료에도 도움이 된다는 사실은 의사라면 누구나 알고 있다.

신장을 포함한 비뇨기 계통은 체내의 노폐물을 배출시키는 기관이기 때문에 물을 자주 마셔줌으로써 신진대사를 더욱 활성화시켜 준다.

얼마가 고마운 인체의 기관인가?

소변이 잘 배출되지 않으면 신우신염, 방광염 등에 걸리기 쉽다. 잘 배출되지 않는 소변은 세균의 온상이 될 우려가 있으므로 물을 빈번히 마심으로써 노폐물을 빨리 체외로 배출시키는 것이 이처럼 중요한 것이다.

한마디로, 신장은 독소 배출기로서 하루에 180 ℓ

소위, 요독증이라고 하는 병도 만성 신부전의 한 형태인데, 신장이 인체에 해로운 질소화합물을 배출 못시켜 생겨나는 것으로 신장의 중요성을 새삼 깨닫게 한다.

원래부터 심산유곡의 깨끗한 물만을 마셔온 산골짜기 사람들은 거의 신장병이 없었다는 사실을 주목해야 한다.

신장을 튼튼하게 만들기 위해서는 평소에 깨끗한 물을 섭취해야 하는데 우리들은 얼마나 물에 무관심하여 왔는가?

좋고 깨끗한 물을 마시고 싶으면서도 편리함과 쾌락을 추구하느라고 얼마나 상수원을 쉽게 오염시키고 있는지 우리 모두 깊이 반성해 볼 일이다.

어깨 결림에도 역시 자화수였다

강 병 주
(경남 진주시 성바오로병원 원장)

왜 일상생활에서 어깨결림이 이렇게 흔할까?

그 원인은 혈액순환이 원활하지 못하니까 생기는 것으로 보는 것이 지배적이다.

익명을 요구하는 10명의 주부들을 대상으로 자화수를 1주일간 음용시켰더니, 그중 9명의 주부들이 어깨결림에 탁월하게 좋았다고 대답했고 나머지 1명은 그저 그렇다라고 응답했다.

물론 시험대상이 적은 것이 흠이었으나, 반응도는 무척 높은 편이었다. 필자도 불편한 자세로 많은 환자들을 진료할 때가 있는데, 진료가 끝날 시간쯤 자화수를 마신 날과 마시지 않은 날의 어깨결림을 비교해 보면 확실히 마신 날이 가뿐하게 느껴졌다.

이 어깨결림 같은 증상은 극히 주관적이다 보니, 내가 이렇게 이야기해도 믿지 않는 사람이 많은 것이 사실이다.

결국 객관화시켜야 한다는 어려운 점이 상존하면서도 실제로 어깨결림 증상이 사라지는 것을 보면 무턱대고 무시할 수만은 없지 않는가?

나에게 자주 건강상담을 하는 공인회계사인 문형준씨(올해 37세)는 업무상의 일 때문에 평균적으로 하루에 500km 이상 차를 몰고 다닌다.

아직 젊은 나이기는 하지만 어깨결림이 만성적으로 괴롭히기 때문에 어깨결림을 근본적으로 해소하는 방법이 없나 고민하기도 한다. 그래서 나는 자화수를 집에 있는 깨끗한 물통에 담아 차를 타고 다니면서 수시로 마시기를 권장했다.

내 말을 들은 문형준씨는 즉시 실행에 옮겼다. 1개월 뒤에 효과가 어떻게 나타났나 궁금해서 알아보았는데, 효과는 대만족이었다.

언제 그랬냐는 듯이 심한 어깨결림은 완전히 해소되었단다.

장거리 운전을 하시는 분들에게도 자화수 효과는 여지없이 인정되었다. 자동차를 오래 운전하는 사람들은 차량 안의 유해 전자파를 많이 받기 때문에 특별히 자화수를 늘 준비하여 필요할 때마다 조금씩 마시면 여러가지로 효과적이다.

YDT증후군에 시달리는 컴퓨터 취급자들도 어깨결림을 무척 많이 호소하는데 컴퓨터를 쉴새없이 하루종일 다루는 박광덕씨도 예외는 아니다. 항상 컴퓨터를 많이 다루는 오후시간이 되면 피로가 엄습하는 경우가 많은데, 자화수를 시험적으로 마신 뒤로 거의 어깨결림과 피로를 잘 모른다고 자랑스럽게 이야기 한다.

어깨 결림으로 고생한 많은 사람들이 자화수를 마시고 쉽게 호전되다 보니, 주부들을 비롯한 사무직 직원들도 무척 흥미롭게 지켜보고 있다.

자화수는 운동의 효과를 배가시켰다

강 병 주
(경남 진주시 성바오로병원 원장)

자화수를 마심으로써 만성피로가 신속히 회복되고 운동 직후의 근육통이 빨리 해소되는 사실을 알고 나서 매일같이 운동하는 전문 운동인들에게 한번 자화수의 효능을 테스트해 보자는 생각이 들었다.

'쇳뿔은 단김에 빼다'고 진주시 역도회관에서 늘 운동을 하시는 박○대 사범님과 진주기계공고 펜싱부 선수들에게 이야기가 전달되어 체력단련[일명, 웨이트 트레이닝]을 하는 도중에 자화수를 마시도록 했다.

사범님은 나처럼 매일 운동을 하시는데, 중학교 시절부터 이때까지 줄곧 역기와 더불어 사신 분이다.

역도가 곧 그의 인생의 전부라 할 정도로 사업이 바쁘신 중에도 불구하고 바벨을 들면서 땀을 흘리신다.

무려 30년 이상을 역도에 정열을 쏟아 부었고, 후진 양성에도 몹시 애를 쓰시기도 한다.

그래서 나는 그분에게서 성실한 역도인상을 발견하였으므로 운동을 별로 잘하지는 못해도, 매일 아침 그분이 지키는 역도회관을 두드리며 힘찬 기합소리와 함께 역기를 들어올린다.

사범님은 나보고 예전에는 2～3일만에 한번씩 역기를 잡았는데 요즘은 어떻게 매일 오셔서 운동을 하느냐고 묻는다.

나는 빙그레 웃으며 '자화수 때문에 이렇게 체력이 향상되었습니다. 저도 정말 놀랬습니다. 매일같이 육체미 훈련을 해도 별로 근육통을 못 느낍니다'라고 대답했다.

진주 기계공고 펜싱부 선수들은 처음에 자화수가 뭔지 모르고 그냥 운동 중에 마시다 보니 잘은 몰라도 기운이 더욱 나고 쉽게 지치지 않는다고 했다.

어린 선수들이라 체계적인 연구를 하기가 어려웠으나 나는 기대 이상의 소득을 올렸다고 자부한다.

체력 향상에 분명히 도움 된다고 말하는 사범님은 앞으로 자화수를 충분히 체육과학적인 측면에서 연구하고 발전시켜 볼 가치가 있다고 주장했다.

우리가 늘 운동하면서 잘 마시는 스포츠 음료는 실상 체액과 동일한 삼투압의 원리를 이용해 체내에 쉽게 흡수되도록 만들었을 뿐이다.

그런데 운동중 소실된 염분을 보충하는 목적치고는 가격면에서 비싸고 스포츠 음료를 남용하면 체액의 발란스가 깨져 오히려 더욱 해로울 수가 있다.

그래서 박○대 사범님 같은 분은 운동 중에 가능하면 자화수를 마신다.

자화수가 운동중에 효과가 있음을 아는 분들이 차츰 늘어나면서 내가 참여하고 있는 조기 축구부 회원들도 나에게 자화수를 아침에 꼭 무료 보급해 달라고 무척 관심을 보이고 있다.

이제 우수, 경칩도 지나서 운동을 하기엔 무척 좋은 날씨가 계속되고 있다. 모든 운동 애호가들은 '같은 값이면 다홍치마'라고 자화수를 운동 중에 마시게 되면 더욱 건강하게 체력을 유지 할 수 있을 것이다.

금년 1월경에는 운동선수들에게 자화수가 얼마만큼의 경기력 향상 효과를 나타내는지 알아보기 위해서 한양대학교 체육대학에 재직하시는 모 교수님과 상호 연락을 한바 있었는데, 그 뒤 내가 진료하랴 원고를 준비하랴 바쁜 북새통에 연락이 두절되었다.

이제 조금 한가해지면 체육대학 교수님들과 함께 한국체육과학의 발전을 위해 공동으로 자화수의 경기력 향상 효과를 체계적, 과학적으로 연구해 볼 계획이다.

통풍성 관절염에도 기쁜 소식을 준다

강 병 주
(경남 진주시 성바오로병원 원장)

올해 37세인 이○락씨는 최근 약 10년 동안 통풍성 관절염에 걸려 고생하고 있다.

비교적 술을 좋아하고 유난히 육식을 많이 하는 이 친구는 10년 전에는 잔병치레도 거의 하지 않을 정도로 건강한 체력을 유지하고 있었을 뿐만 아니라 어린이들의 운동을 직접 지도하기도 했다.

운동을 좋아하던 이○락씨는 어느날 갑자기 오른쪽 엄지 발가락쪽에 통증을 느끼기 시작했다.

처음엔 별것이 아니겠거니 하고 생각했는데, 술을 마시고 나서는 밤에 잠을 잘 때도 엄지발가락이 쑤셨다.

혹시 신발이 작아져서 그런가 싶어 제화점에 가서 조금 큰 구두를 사서 신기도 하였지만 통증은 계속되었다.

심지어 벌겋게 부어오르기도 했다. 안되겠다 싶어 인근병원의 정형외과에서 정밀진찰을 받은 결과 통풍성 관절염 초기라는 것이었다.

그 말을 듣고도 이○락씨는 대수롭지 않게 생각했고 늘 생활하던 것처럼 친구들과 어울려 술을 마시며 지냈다.

그런데 술을 많이 마시고 난 그날 밤에는 통증 때문에 잠을 제대로 잘 수가 없어서 급한 김에 집에 사둔 독한 진통제를 먹는 등 악순환이 되풀이 되었다. 나는 이분에게 즉시 술과 육식을 끊도록 부탁했다. 또한 쵸콜렛 같은 당도가 높은 과자 등도 평소에 잘 먹는 것을 알고, 역시 먹지 말라고 말했다.

이○락씨가 섭취하는 음식들을 잘 분석해 보면 퓨린 함유량이 높은 것(예 : 청어, 조개 등)들이 대부분들이었고 대체적으로 서양인들이 좋아하는 음식 종류 들이었다.

'신토불이(身土不二)'라는 말이 새삼 떠오른다. 우리나라 사람들에게는 역시 우리나라에서 생산된 음식이 제일 좋은 것이다.

외국산 음식들이 마구 우리나라에 무분별하게 유입되어 들어오고 이에 따라서 성인병들도 날로 급증하는 추세에 있다.

사실 이러한 통풍성 관절염도 서양식의 섭식형태가 주류를 이루다 보면 잘 생기게 되어 있다.

우리 의학계는 아직까지도 질병의 예방보다는 사후약방문격인 치료에 열을 올리고 있다. 반성해야 할 일이고 질병의 예방홍보에 좀더 적극성을 띠어야 할 것이다.

육식보다는 채식을 주로 하면서 이 분은 발가락의 통증이 점차 완화되어 갔는데, 나는 요산의 배설을 촉진시키는 자화수를 마셔보라고 권했다.

과거에 술을 먹었으면 먹었지 물을 잘 마시는 성품이 아니었다. 그러나 나는 '당신이 다시는 통풍성 관절염에 안 걸리고 싶으면 물을 자주 마셔주어야 합니다. 특히 자화수 같은 물이 좋습니다.'라고 이야기한 후로는 완전히 자세가 달라졌다.

자화수를 마신지 각각 10일, 20일, 30일이 지나 비교해 보니, 발가락의 통증과 염증상태가 놀랄만큼 좋아졌다.

이제는 한밤중에 통증때문에 깨어나는 일이 없다고 한다. 자화수는 통풍에 쓰이는 치료약보다 결코 뒤지지 않는다. 모든 병은 사전에 예방을 철저히 하는 것이 제일 좋은 것인 만큼 통풍성 관절염도 예외가 아니다.

즐거운 마음으로 자화수를 평소에 마심으로써 통풍성 관절염도 미리 예방할 수 있다.

지방간도 자하수로 치료된다

강 병 주
(경남 진주시 성바오로병원 원장)

지방간을 일으키는 원인은 크게 술·비만·당뇨 세가지로 알려져 있다. 앞에서 설명했듯이 최근 우리나라에서도 술을 많이 마시고 비만증이 늘어남에 따라 당연히 지방간도 증가하는 추세에 있다.

사실상 단순한 지방간은 이를 일으키는 원인만 제거하면 쉽게 치료된다.

구체적으로 예를 든다면, 중년인 도○태씨는 술과 비만때문에 생긴 전형적인 지방간 환자였다.

처음에 약간 피곤하다면서 병원에 왔길래 문진을 해보니 체중은 85kg였고, 음주 횟수는 이틀에 한번 꼴로 마신다고 했다.

일반적으로 지방간을 두려워하는 사람들이 많은데 오히려 지방간으로 인한 건강 염려증이 더욱 문제되고 있다.

지방간이란, 간이 외부에서 들어온 독성물질을 방어하면서 생긴 중성지방이 간의 전체 비중에서 5% 이상 차지하는 경우를 말한다. 일반적으로 지방간에 대한 자각증세가 거의 없으므로 더욱 문제가 된다.

술을 매일같이 마시던 사람에게 4～6주 동안 술을 먹지 말라고 하면 처음에 거부반응을 보인다. 나는 도○태씨 같은 분에게 술보다는 못하지만 술대용으로 시원한 자화수를 마셔보라고 권하니까 의외로 좋은 반응을 보였다.

물론 심리적인 효과가 다분했지만 자화수는 확실히 지방간에 좋은 것이다.

그에게는 비만도 있었으므로 자화수가 비만을 치료해 주어 당연히 체중 즉, 군살이 감소되었다. 여기에 적당한 강도의 운동을 추천하기도 했다. 결국 도○태씨는 지방간이라는 진단을 받은지 4주만에 별다른 간장약도 쓰지 않고도 완치되는 좋은 성적을 거두었다. 내가 의사로서 반성할 점이라면, 지방간 환자가 우선 병원에 왔을 때 가장 중요한 전인적 치료보다는 우선 효과가 반짝 나기만을 기대하는 약물요법에 지나칠 정도로 의존했던 점이다.

사실 살을 빼라. 술을 먹지 말아라고 주문하기는 하지만 그저 형식적으로 이야기 했을 뿐이다.

진정 의사와 환자간의 휴머니즘이 아쉬웠다는 후회가 앞선다. 내가 지방간 치료에서 자화수를 추천하는 것은 전인적인 치료의 한 방편이기 때문에 전 국민들에게 적극 권장할 생각이다.

지방간을 치료 한답시고 간장약을 너무 남용하시는 분들에게도 좋은 참고가 될 줄로 믿는다.

그리고 제발 부탁드리는데, 우리 국민들은 음주에 너무 낭비를 하지 않았으면 하는 바램이다.

아니 직장에서 스트레스를 많이 받으면 슬기롭게 운동을 한다든지, 음악감상을 한다든지, 아니면 깊은 명상에 빠져보는 것 등이 훨씬 낫지 않을까? 그러면 지방간 환자가 대폭적으로 감소될 것이다. 온통 스트레스를 술로만 풀려고 하니 우리나라가 간장병 1위라는 불명예를 갖게 된 것이다.

술로 인한 간장병에 걸리지 않으려면 술 생산회사의 광고에 현혹되지 않아야 한다. 예컨대 소주(생산)회사의 나체 그림판이나 맥주회사의 유치한 물 경쟁 따위 등이다.

우리 국민의 건강을 위해서는 술 마시기보다는 건전한 여가선용의 장(場)이 많이 만들어져야 할 때인 것 같다.

만성간염의 치료와 자화수

강 병 주
(경남 진주시 성바오로병원 원장)

만성간염하면 치료가 극히 어려운 병으로 알고 있다.

원인이 간염 바이러스건 알콜이건 만성간염에 걸렸다 하면 마치 끝장이라도 난 듯이 매스콤 관계자들은 전문의의 말을 빌려 떠들어 댄다. 그러나 의학적으로 잘 고찰해 보면, 세간에서 떠드는 것처럼 그런 난치병이 아니다.

한마디로 만성간염은 우리나라의 경우, B형 간염바이러스 때문에 잘 생기는 것인데 최근에는 C형 간염바이러스가 원인이 되는 만성간염이 자꾸만 증가하고 있다.

우리 인체는 하나님이 정말 오묘할 정도로 잘 만들어 놓으셨다. 면역체계만 하더라도 일사불란한 감시망과 더불어 포획체계가 막강하게 구축되어 있다.

따라서 체내에 침입하는 이형물질인 바이러스와 세균을 체내의 면역체계가 레이더망으로 일단 포착하면 T림프구나 B림프구가 활성화 되어 식균작용이 왕성하게 일어난다.

T임파구의 일종인 세포 독성 T임파구라는 것은, T림프구들이 바이러스를 공격하는 미사일이라도 볼 수 있는데 비해, B림프구는 T림프구에 의해 항체 생성이 활성화 된다.

그런데 만성간염 환자는 바이러스를 잡아먹는 면역체계가 일시적으로 어떤 원인에 의해 마비된 상태라고 볼 수 있다

아직 마비시키는 원인을 명확하게 밝히지 못했으나, 어떤 경우에는 무디어진 면역체계가 활성화 되어 간염 바이러스를 파괴시켜 완전하게 치료할 때가 있다. 간혹, 영양학자들이 주장하는 식품의 만성간염 치유 효과를 과학적으로 입증 못했다고 해서 무조건 배척해서는 아니된다. 식품도 아주 훌륭한 간염 치료약이 될 수 있다는 뜻이다.

민간 처방들 중에는 간염 치료에 제법 효과가 있는 것도 있어 요사이 의료보험용 약품으로 등재되기도 한다.

그러한 예로는 오미자 같은 열매를 들 수 있다.

또한 여러가지 채소과 식물들이나 곡물들 중에서 분명히 면역력을 증강시켜 주는 것도 있다. 이것들은 모두 결과적으로 간염을 치유시키는 역할을 해왔는데 아직 의학적으로 완전히 규명이 되지 않은 상태일 뿐이다.

지금 선진국들의 유명한 연구소에서는 간염 바이러스를 근본적으로 치료하는 약물의 개발에 열을 올리고 있다.

하지만 우리나라의 연구 동향은 어떠한가? 그야말로 한심스러울 정도이다.

미국 등지에서는 에이즈 바이러스를 퇴치시키는 약물을 계속

개발하고 있고 곧 이어 간염 바이러스 퇴치약을 개발하면 우리나라를 비롯한 동남아, 아프리카는 고스란히 그들 의약품 판매시장이 되고 말 것인데 얼마나 국가 경제적으로 손해일까?

자화수의 탁월한 전도체 효과를 이용하여 T림프구의 식균작용을 활성화 시키는 가설을 적용시켜 만성간염의 치료에 성공한 경우가 있다.

경남 거제에 살고 있는 박○석씨의 경우는 병원의 치료를 10년동안 해봤지만 근본적인 치료가 되지 않아 근래에는 자연식으로 자가 치료를 하고 있는데 간염검사를 해 보니 아직도 간염 항원이 양성이었다.

그래서 병원 처방을 따르게 하고 자화수를 계속 마시게 했더니 2개월만에 간염 항원이 양성에서 음성으로 바뀌었다.

자화수가 만성간염 치료에 얼마나 도움을 줄지 현재로서는 베일에 가려져 있으나 면역체계를 강화시켜 주는 효과만큼은 경험상 인정된다.

앞으로는 가설에만 그치지 않고 더욱 연구에 박차를 가해 자화수의 항바이러스 효과를 과학적으로 규명해 볼 계획이다.

자화수로 세수하면 여드름이 없어진다

강 병 주
(경남 진주시 성바오로병원 원장)

자화수의 살균 효과와 세정 효과는 여드름 치료에서 진면목을 드러낸다.

여드름은 주로 청년기에 모낭지피선을 침범해서 거울을 보기 싫을 정도로 신경을 쓰게 하는 피부질환이며, 후유증으로 여드름 자국이라는 반흔을 남겨 정신적인 상처를 주기도 한다.

여드름의 원인을 살펴보면 사춘기에 안드로겐이라는 남성호르몬의 작용이 왕성해져 피지선(皮脂腺)이 비대하여 피지의 분비가 왕성해지며 동시에 모낭벽이 두꺼워져 모낭 입구가 좁아지면 피지가 정체된다. 이렇게 되면 자연히 염증이 생기기 쉽다. 여드름은 대체적으로 안면에 많이 나는데 그 치료 원리는 지극히 간단하다.

그런데 너무 예민하게 반응하여 더러운 손으로 자주 여드름을 만지고 짜다보면 2차적인 세균감염까지 초래하여 급기야는 흉터를 남긴다.

자화수의 놀라운 살균력으로 여드름을 쉽게 치료하는데 얼굴을 잘 씻는 것만으로도 여드름의 절반은 이미 치료된 것이나 다름이 없다. 또한 전신요법으로 식이요법이 강조되는데, 담백한 채소류와 자화수의 빈번한 섭취는 중요한 일대 치료원칙이다. 그리고 기름기가 풍부한 음식의 지나친 섭취도 피하는 것이 좋다.

또, 자화수는 세정효과가 좋아서 면포(여드름 덩어리)가 쉽게 배출되도록 도와준다. 자화수로 자주 세수하여 여드름을 잘 치료한 남강처녀 김○숙씨——.

그녀는 20대 중반의 아가씨로 모 증권회사 진주지점에 근무한다. 우연한 기회에 자화수 소식을 접한 그녀는 자화수가 주부습진에 좋다면 틀림없이 여드름에도 좋을 거라고 확신했다.

매일 변비로 고생한 그녀였으므로 자화수를 마시고 나서 변비가 치료된 기쁨은 혼자만 간직할 수 없어 친구들에게 자랑했단다.

고등학교 때부터 마음을 괴롭혀 온 여드름은 이제 더 이상 천덕구러기가 아니다. 매일같이 몰래 거울 앞에서 여드름을 짜는 일이란 정말로 괴로운 일이 아닐 수 없었다.

얼마나 정신적인 스트레스를 많이 받았을 것인가?

여드름이 많이 생긴 날은 속상해서 밥도 먹지 않았던 그녀—. 특별하게 신경 쓸 필요없이 자화수로 세수만 해도 웬만한 여드름은 깨끗하게 나았으니 그동안의 마음고생을 돌이켜 보면 은근히 눈물이 나기도 했다고 한다. 참으로 길고 긴 여드름과의 싸움!

이제는 자화수로 승리했기에 매일 매일의 출근길은 절로 휘파람이 날 뿐이다. 아무렴 주부습진도 치료하는 물이라는데 여드름쯤이야…….

자화수로 고질병인 대장염도 치료되다

강 관 봉
(경남 진주시)

나는 당년 75세 되는 노인이다.

25년전부터 대장염으로 인하여 무척 고생을 많이 했기에 현재 대장이 완전히 정상상태인데도 좀처럼 실감이 나지 않는다.

정말 약이란 약은 병원과 약국에서 모두 사먹었는데 낫지 않았으니 그간의 고통은 이루 말할 수 없었다.

어떤 때는 혹시 대장암이 아닌가 하고 덜컥 겁이 나서 방사선과 병원에 가 대장 촬영을 해 봐도 의사는 아무 이상이 없단다.

그런데도 늘 아랫배가 쓰려서 새벽에 잠을 설치고 깨는 경우가 한두번이 아니었다. 병원에 가면 의사는 늘 과민성 대장염이라 하면서 처방을 해줬는데, 역시 그때 뿐이다. 또한, 근간에는 15년 전부터 생긴 변비가 나이가 들면서 점차 심해졌다.

그러던 중 작년 11월경, 한 노부인께서 변비 증세로 약 30년 가량 무척 고생을 하다가 우연히 신통한 물을 마시고 난 후부터 경과가 호전되어 기적적으로 지금은 완치되었다는 소문을 듣고 본인이 직접 자초지종 자세한 이야기를 들어보니 하도 신기한 이야기이기에 자화수란 물이 무슨 물인가 궁금해서 폐일언하고 자화수기 보급처를 찾아 갔었다. 그곳에 가서 우선 자화수의 위력과 효험에 관해 문의한 즉 자세한 설명을 들었다.

그러나 나는 반신반의하여 마음이 내키지 않았으나 마지막이라고 생각하고 집에 자화수기를 설치했다.

평소에 찬물이라고는 마시지 않았으나 대장염을 고치기 위해 조심스럽게 마셔보니 목구멍에 잘 넘어가는 것이었다.

그로부터 4~5일 후, 기적적으로 변화가 생겼다. 종전 같으면 변비 증세가 심한 관계로 1주일에 대변을 볼려면 젖먹을 때부터 축적해 두었던 힘을 써도 대변이 나올까말까 하던 것이 지금은 정상적으로 매일 한번씩 보니 이 얼마나 반가운 일이냐?

또, 대장염때문에 찬 것이라고는 무엇이든지 40년 전부터 먹지 못했는데 자화수를 마시고 난 후부터는 소화불량도 없어지고 찬 것을 잘 먹어도 아무 탈이 없다.

아무튼 자화수에 대해 감사할 뿐이다. 그리고 예전 같으면 하루에 담배를 두갑씩이나 피우던 것이 담배를 피우고 싶은 생각이 나면 자화수를 꼭 마셨다. 이제는 건강에 좋지 않은 담배도 완전히 끊었으니 얼마나 좋은가.

이 모든 것이 자화수 덕분이니 나 혼자만 효과를 볼 것이 아니라 우리나라 온 국민이 마시고 건강한 몸이 되었으면 하는 바램이다.

제 7 장

자화수 체험사례

【체험사례 · 1】

봄이면 찾아오는 불청객

김 정 호
(서울시 관악구 봉천동)

저에게는 날씨가 따뜻해지면 어김없이 찾아오는 반갑지 않은 손님이 하나 있습니다. 그것은 다름 아닌 무좀입니다.

몇 년전 부터가 오른쪽 발바닥에 물집이 잡히는 수포성 무좀이 생기더니 점점 심해져서 물집이 터지고 발바닥에 허물이 벗어지며 각질이 일어나 발이 몹시 불결했습니다.

병원에 다니면 좀 나아졌다가 약을 안 먹으면 다시 재발하곤 했습니다. 무더운 여름에도 양말을 신어야 하는 불편함과 맨발을 벗어야 할때 받는 스트레스는 말도 못할 정도였습니다.

그런데 자화수기를 설치하고서 그런 고민이 해결됐습니다. 육각수를 먹고 생활용수로 쓰면서 부터 놀랍게도 발바닥이 아주 깨끗해졌습니다.

그 외에도 많은 변화가 생겼습니다.

집안에 냄새도 없어지고 화장실도 청결해졌으며 샤워 후에도 몹시 기분이 상쾌해짐을 느낄 수 있었습니다.

자화수기를 설치후에 좋은 점이 너무 많아 약간의 비용이 들기는 했지만 설치하기를 참 잘했다는 생각이 듭니다.

자화육각수물이 우리 가정에 쏟아지면서 가족의 건강문제는 깔끔하게 해결된 것 같아 행복하기만 합니다.

그토록 오랜 세월동안 나를 괴롭혀 오던 무좀을 날려버린 오늘! 하늘을 날것만 같습니다.

무좀이나 습진으로 더 이상 고민하시지 마시고 육각수를 음용하시길 자신있게 여러분에게 권해 드립니다.

올 여름에는 맨발로 바닷가를 거닐 수 있을 것 같아서 휴가철이 기다려진답니다.

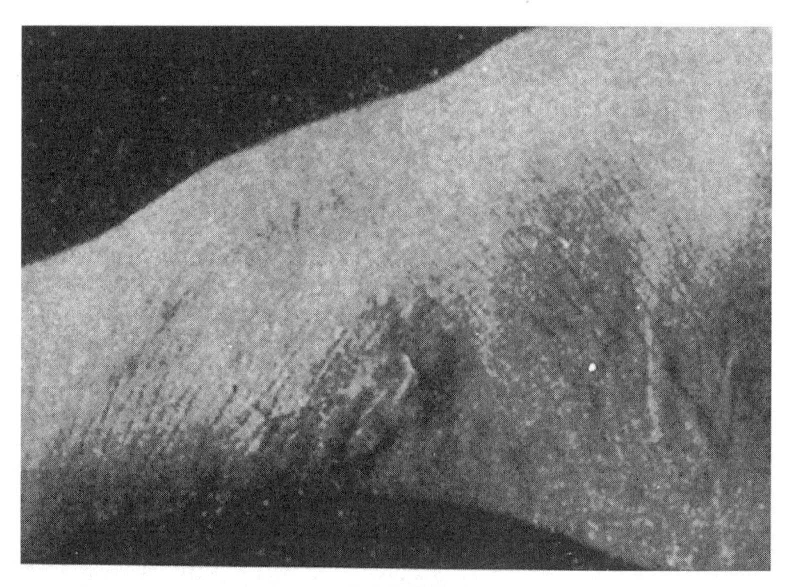

다리의 무좀

【체험사례 · 2】

엄마! 나 이제 변비 없어졌어

정 경 화
(대전시 태평동)

우선 자화육각수가 좋은 점이 너무 많아서…

고3인 딸이 선천성 변비였는데 육각수 물을 먹은지 3개월 되니까 '엄마 나 이제 변비 없어졌어'라고 했다.

특별히 병원에 한번도 가지 않았는데 고쳐졌다는 것입니다.

육각수기를 이용해 보니 너무나 물의 소중함을 절실히 느꼈고, 집안의 음식맛이 무엇을 하든지 맛이 있어 좋았고, 원래 피부가 많이 건조해서 겨울이면 손을 내밀수가 없을 정도로 볼 수가 없었는데 언제부터인가 전혀 신경을 쓰지 않게 되었습니다. 육각수 콩나물, 감자, 계란, 청국장 분말, 토마토 등 육각수로 재배된 음식도 다 먹어보았지만 정말 모든 사람에게 줄수 없다는 것이 너무나 안타까울 정도로 맛이 월등해서 저는 식품만 나오면 육각수 팬인 동네 주부님들께 일부러 돌리느라 바쁘답니다.

저희 언니네 화단에는 피지 않던 난에 꽃이 피고 항상 푸르른 화단을 보는 기쁨에 육각수에 고마워하고 있답니다.

저는 일하는 가정주부로써 물과 건강 매트가 있어서 집안 식구들이 건강은 특별히 챙기지 않아도 병원 한번 안갈 정도니까 너무나 감사할 따름입니다.

정말 주저하지 마시고 좀 가격이 부담이 가시더라도 한번 설치하면 거의 반영구적이니까 가족의 건강을 위해서 꼭 설치해 보세요.

정수기와는 달리 한번 설치하면 반영구적이고 고장이 없으며, 필터를 교체하는 수고도 없으며, 추가로 부대비용이 전혀 들어가지 않는데 매력이 또한 있습니다.

좋은 점이 너무나 많아서 다 열거하기가 지면이 너무 좁다는 생각이…

【체험사례 · 3】

아토피로부터 해방되다

손 정 옥
(경기도 안양시 박달동)

열매교회 손○○사모입니다.

저는 아토피로 고생하던 중 우연히 육각수기를 소개받고 급한 대로 샤워꼭지에 설치하여 사용중입니다.(여러 가구가 살고 있는 건물이므로)

목욕하고, 조리도 하고, 먹음으로 해서 체내에 노폐물(독소)를 배출시킨다고 하는데 저는 수도계량기에 달지 않았으므로 샤워할때와 먹는 물병에 받아서 20~30분 있다가 먹고 했어요. 이틀간 먹고 씻었는데 등쪽, 목쪽, 팔 안쪽에 가려움현상이 없더라구요.

가렵기 시작하면 피가 나도록 긁어대곤 했고 저녁에는 신경과에서 잠 잘오게 하는 약을 먹었는데 육각수를 이틀 먹고 그 약을 먹지 않고도 가렵지가 않아서 잘 잤습니다. 피부 보습을 유지시켜준다고 했는데 정말 촉촉해서 가렵지 않았고 '건조함에서 가려웠었구나' 했어요.

아토피에 보습제를 많이 사용하는 것도, 가렵지 않게 하는 스테로이드제(보습제)를 잘 읽어보니 부작용이 분명히 있었습니다.

“상처 있는 곳, 또는 습진, 피부염, 이상이 있는 부위 사용을 금함”

저도 병원, 약국에서 그냥 사서 사용해 왔는데 이젠 육각수로 씻고 먹고 해봐야겠다는 생각에서 꾸준히 사용하다가 육각수기기 회사에서 일반물로 씻고 일반정수기 물을 먹어 보라기에(비교해 보라고) 했는데, 3일정도 시키는 대로 하고 있는데 벌써 피부가 건조해서 가렵더라구요. 5일째 되는 날 고생했던 것이 생각나서 그만두고 다시 육각수로 먹고 샤워하고 있습니다.

지금은 밀가루 음식을 자주 먹어도 위에 부담도, 피부에 건조함도 없는 걸 보면 사람에게 가장 중요한 것이 물인데 물을 너무 홀대했구나 하는 생각이 듭니다.

이 ‘좋은 물을 알려고 하지를 않아서 많이 사람들이 고생을 하고 있구나’ 하고 생각됩니다.

【체험사례 · 4】

처음엔 몰랐는데

송 기 영
(부산시 해운대구 석내동)

약 한달정도 다 되어 갑니다.

물맛이 달다 라는 것은 느꼈는데 여름철이라 별로 느끼지 못했는데 휴가갔다 오니 육각수에 담궈뒀던 두부가 거의 그대로 신선도를 유지하고 있더군요.

물을 주지 못해서 흠벅 화분에 물을 줬는데 식물이 얼마나 싱싱하게 자랐는지 무척 놀랬어요.

휴가지에 가니 집에 설치한 육각수기와의 물 차이가 엄청난다는 사실에 놀라움을 금치 못했습니다.

당뇨로 고생하는 저는 현재 무엇인가 모르게 몸이 가벼워지고 변화가 나타나는 것 같아요.

언젠가 동의대 교수님께서 육각수가 당뇨와 동맥경화에도 효능이 있다는 신문기사를 본 적이 있었는데 그 기사대로 정말 좋아지는 것 같기도 하구요.

이제는 육각수를 보약처럼 생각하고 매일 아침 저녁으로 두컵씩 마시고 있는데 그 물맛 또한 색다름을 느낍니다.

【체험사례 · 5】

신비한 육각수 떡

지 성 호
(서울시 종로구 낙원동)

저는 떡집을 운영하고 있는 지성호입니다. 우연한 기회에 아시는 분의 소개로 3개월 전에 자화 육각수기를 설치하였는데 고객들로부터 맛이 있고 향이 좋다는 소리를 많이 들어 기분이 너무 너무 좋아서 이 글을 올립니다.

첫째, 일반 쌀로 떡을 만들어도 가격이 비싼 고급 쌀로 만든 것과 같은 떡으로 맛이 있습니다.

둘째, 떡에 첨가되는 콩, 팥, 녹두, 옥수수, 조 그리고 쑥 등의 각 개체의 특유의 짙은 향이 고객의 입맛을 높여 주며, 상쾌한 기분을 자아내 주고 있습니다.

셋째, 떡이 굳어지는 것과 부패(시는 것)되는 것이 일반물로 만든 것 보다 배 이상이 길어지며, 특히 여름 건강은 물론 낭비를 줄일 수 있어 커다란 도움이 됩니다.

넷째, 육각수 떡을 많이 먹어도 소화가 잘되어 위에 부담이 없다며 단골 고객들의 주문이 늘고 있습니다.

좋은 물이 건강에 좋다는 말은 알고 있었지만 아무튼 육각수기기의 원리에 대해서는 구체적으로 잘 모르지만 참 신기하네요.

【체험사례 · 6】

육각수의 놀라운 효능

채 경 자
(부산시 금정구 부곡동)

올 6월, 아는 분의 소개로 저희 집에 육각수기를 설치했습니다.

엄마인 저와 10살된 아들이 알레르기 때문에 그동안 많은 고생을 했습니다.

특히 엄마인 저의 이마에는 보기 흉할 정도로 아토피 자국이 선명하게 주름이 되어 있었습니다. 그러나 육각수기를 설치한 후 놀라울 정도로 저의 피부가 달라졌습니다.

맨 먼저 알레르기로 생긴 얼굴의 주름이 확 없어졌습니다. 물론 간지럽지도 않구요.^^

육각수를 만나기 전까지 안해 본 것 없이 좋다는 약은 다 먹어보았고, 발라보기도 했지만 그때 뿐이었고 나아지지는 않았습니다.

10월 말에는 저희 아들이 아토피가 너무 심해서 병원에 입원을 했을 정도입니다.

퇴원을 하고 난뒤 병원에서 주는 약과 연고를 발라도 차도가 없어서 애는 몸이 자꾸 간지러우니 성격도 많이 난폭할 정도로 변해

갔습니다.

애를 보는 엄마의 마음은 너무 가슴이 아팠습니다.

아시는 분의 권유로 반신반의하면서 육각수기를 구입해서 설치한지 6주 정도가 지났는데 하루 하루가 달라졌습니다.

지금은 많이 깨끗해졌습니다. 주위에서 보고 다들 놀라워 하고 있습니다. 저의 아들은 옛날 피부인 뽀오얀 피부로 돌아왔습니다.

지금 이 순간만큼은 아토피가 깨끗이 사라졌다는 느낌이 들 정도이니까요.^^

정말 감사를 드리고 싶어서 두서없는 글을 올립니다.

저희 집에 설치한 육각수기 때문에 제 주위에 같이 사는 이웃을 소개하여 다섯 가구나 설치했는데 모두 반응이 좋습니다.

정말 고맙군요.

【체험사례 · 7】

신비로운 물 육각수

김 석 용
(울산시 울주군 상동면)

저는 울산에 살고 있습니다. 2달전 우연히 아는 분 소개로 자화 육각수라는 얘기를 듣고 사실 믿음이 가지 않았죠.

하지만 무료 체험후 결정을 하셔도 된다는 말에 쉽게 승낙을 하고 3일후 제품을 받아 사용해 보니 모든 것이 진실이었습니다.

그 내용들을 보면,

안심하고 수도물을 그대로 먹을 수가 있었고, 아내의 비듬과 피부가 현저히 좋아졌고, 아들의 여드름이 많이 좋아졌고, 머릿결이 부드러워졌으며, 샤워을 하고 나면 피부는 놀랄 정도로 매끄럽고 야채 그릇 및 어패류를 씻으면 너무나 깨끗해지고, 일반세제를 전혀 쓰지 않아도 집안 구석구석까지 깨끗해 새집과 같고, 특히 냄새가 나지 않아 너무너무 좋아요!

말로만 들었던 육각수, 지금 현실로 접해보니 정말 놀라지 않을 수가 없군요.

【체험사례 · 8】

육각수를 사용하면서…

정희 엄마
(경기도 과천시 주암동)

저는 두 아이를 키우는 엄마로써 육각수를 사용하고 난 후 달라진 사례를 말씀드릴까 합니다.

우선 주방의 세제비가 많이 절감되었다는 것입니다.

기름기 있는 그릇들이 육각수만으로도 말끔하게 씻어진다는 것이 눈에 띄게 느껴집니다.

그리고 빨랫감에서는 세탁기 두번 헹굼에 못 미더워 다시 헹구워 세탁을 했는데. 육각수를 사용하고 난 후에는 두번 헹굼으로써 세탁물이 깨끗해지는걸 금새 알 수가 있었습니다.

또 식수도 예전에는 끓여서 먹었는데, 육각수기를 설치한 후. 끓이지 않고 PT병에 그냥 받아서 냉장고에 넣은 후 2～3시간 지난 후 꺼내 평소 물 먹듯이 먹는데 물맛 또한 여느 물맛과는 다릅니다.

또한 밥을 지을 때도 육각수 물로 쌀을 씻어 사용하는데 밥맛 또한 다릅니다.

육각수의 신비로움이 정말 신기할 정도입니다.

【체험사례 · 9】

어떻게 이런 일이 있을 수가!

김 정 아
(강원도 춘천시 효자동)

얼마전 육각수기를 설치했었습니다.

저에겐 고질적인 변비가 있었습니다. 그런데 육각수기를 2달 정도 사용했는데 변비가 거의 사라졌습니다.

처음엔 육각수를 마시면 소변이 너무 자주 나오고 일주일이 되던 날부터는 방귀가 자주 나와 놀라기도 했습니다. 하도 이상해서 육각수기 회사에 문의한 결과 육각수물을 마시면 그런 현상이 나타난다고 해 안심했습니다.

물이 목구멍으로 넘어 갈 때도 훨씬 부드럽고, 또한 저의 주부습진도 아주 많이 개선되었습니다.

겨울인 데도 샤워를 하고 나면 얼굴 등이 당기지도 않고, 샤워 후 아주 시원하다고 해야 하나 아님 상쾌하다고 해야 하나 아무쪼록 물 한가지 바꾸었는데 이런 일이 나타날 수 있나요. 참으로 신기할 정도입니다.

시중에 유명한 정수기, 연수기, 알칼리수기 등 욕심이 많아서 좋다는 것 다 사용해도 육각수만큼 좋은 것이 없는 것 같아요. 남편도 술자리가 많은 편인데 요즘 육각수를 마시니 몸이 많이 가벼워졌다고 하네요... 어떻게 이런 일이 있을 수가 있나요?

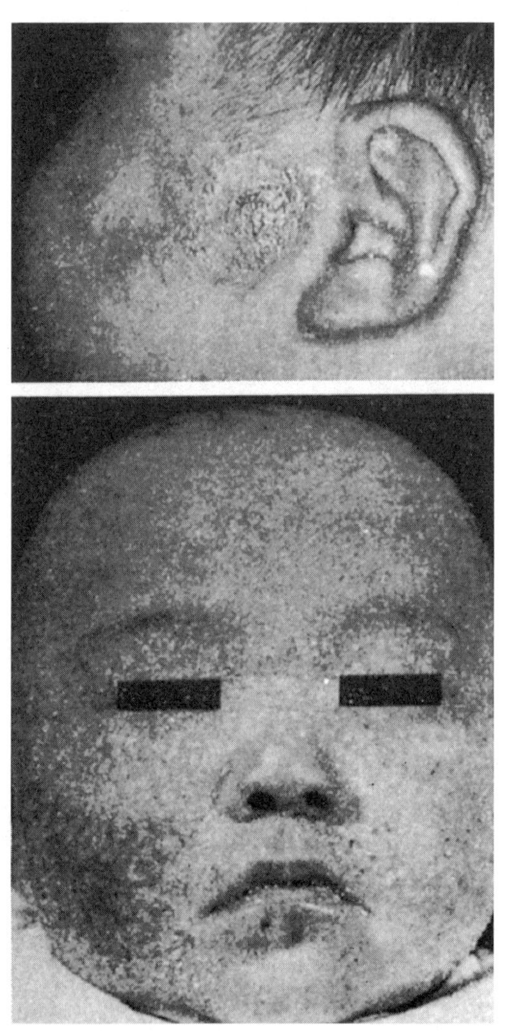

젖먹이 어린이의 얼굴과 머리에 나타나는 급성습진

【체험사례 · 10】

검버섯 걱정 끝

최 진 화
(대전시 원동)

육각수기를 설치한지 5개월이 넘었습니다.

차를 세차할 때 수건을 주로 사용하는데 예전에는 빨아도 빤 것 같지 않아 따로 보관해 뒀다가 다음에 세차할 때 사용했습니다. 육각수로 세탁을 하니 깨끗하게 기름때가 빠지는 것을 경험했습니다.

피부가 희고 누렇고 핏기가 없고 약해 햇빛만 쬐면 각질과 반점이 생겨 여름에도 각질때문에 고생께나 한답니다.

멜라닌 색소 파괴로 손등에 생긴 짙은 검버섯이 흉물스러워 사람들 앞에서 손을 늘 감추곤 했습니다.

5개월 정도 육각수를 먹고 사용한 지금은 짙은 검버섯이 점점 옅어지고 있음을 발견하였고, 그 신기함에 놀라며 기분이 정말 좋습니다.

'정말 좋은 물을 먹으니까 이렇게 표가 확 나는구나'

손톱 및 손가락 가장자리는 여름을 제외하고는 항상 각질이 일어나서 니트, 실크, 스타킹의 올을 빠지게 해 속상한 적이 한두 번이 아니었습니다.

어떤 때는 손가락 끝에 로션을 잔뜩 바르고 옷을 입거나 스타킹을 신은 적도 있을 정도였습니다. 그러나 지금은 걱정하나 없이 해결되었습니다.

육각수 덕분에 각질이 없는 매끄러운 손이 되었거든요.

우리 식당에 오시는 손님들은 무생채를 보통 두세번씩 더 달라시며 맛있다고 하십니다. 그래서 맛이 어떠냐고 물었더니

"다른 식당보다 무생채가 특히 맛있는데 아삭아삭 씹히는 맛과 깊은 맛의 조화가 특별나다"고 합니다.

육각수 설치 두달째부터 옆 칼국수집 보다 수도요금도 적게 나왔습니다.

또한 설거지도 잘되고 물과 세제가 60~70%나 절약되기도 했습니다.

상추, 마늘의 신선도가 오래 유지되고 마늘은 특유의 끈적임이 없을 정도로 신선합니다. 이렇듯 모든 것이 변하지 않는 것이 없습니다.

저는 세상 사람들, 특히 임산부들에게 진정으로 권하고 싶습니다. 아이의 첫번째 환경은 엄마 뱃속인데 좋은 물을 안심하고 사용해 건강한 엄마 몸에서 건강한 아이가 태어날 수 있는 것입니다.

또한, 여성은 깨끗하고 섬세하고 유연하고 창조적이어야 하므로 꼭 사용해야 합니다.

【체험사례 · 11】

모든 여자의 바램 '깨끗한 피부'

정 숙 희
(인천시 부평구 부평동)

여성이라면 누구나가 깨끗하고 아름다운 피부를 꿈꿉니다.

저 역시 깨끗한 피부가 소원이었습니다.

어릴땐 피부가 좋았었는데 사춘기가 되면서부터 이마에 하나둘씩 여드름이 나기 시작했습니다.

처음엔 나이가 들면 나아지겠지 하고 대수롭지 않게 생각했습니다. 그러나 대학교를 졸업할 때까지도 나아지지 않아서 병원을 다니기 시작했습니다.

유명하다는 피부과를 여기저기 찾아다녔는데 처음엔 깨끗하게 나아지는가 싶더니 병원을 그만 다니면 재발하고…

다시 병원을 다니고 약을 바르고 먹으면 낫고…

다 나아서 병원을 그만 다니면 또다시 재발하….

병원비도 만만치 않아서 거의 포기하다시피 했지요.

그런데 저희 집에 육각수기를 설치하게 됐는데 그 뒤로 놀라운 변화가 있었습니다.

제 얼굴에 하나 둘씩 났던 여드름과 트러블은 점점 없어지게 되어 깨끗한 얼굴을 갖게 되었습니다.

그리고 몸의 피부는 건조한 편이라 몸이 가렵고 겨울철이면 하얗게 각질이 일어나곤 했습니다.

그런데 육각수 물로 매일 샤워를 하고 난 다음부터는 가려움증이 없어지고 각질도 사라졌습니다.

지금은 매끈한 피부를 갖게 되어서 정말 고맙게 생각합니다.

참.. 그리고 저희 집에 아주 귀여운 강아지가 한마리 있는데 강아지들은 피부병이 잘 생기곤 하지요.

저의 강아지도 몸이 가려운지 자기 몸을 자주 긁곤 했습니다.

그런데 육각수 물로 목욕을 하고 난 뒤로는 자기 몸을 긁는 일이 많이 줄어들었답니다.

그리고 털도 부드럽고 윤기가 더 많이 흐르게 됐답니다.

【체험사례 · 12】

두통이 없어졌어요

최 영 숙
(울산시 신정동)

신경성 두통으로 3년 동안 너무 아파서 좌절감에 빠져 있었고, 아침에는 일어나지도 못하고 애들 아빠랑 식구들 밥도 제대로 못해 누워만 있었습니다.

3년간 병원을 꾸준히 다녔고, 뇌에 산소가 부족한 것인지 산에 가서 좋은 공기를 마시고 나면 다음날은 머리가 덜 아팠습니다. 내 복약이 7봉 정도 남았는데 아시는 분의 육각수기 설명을 듣고 커피, 우유 등을 육각수 물과 그냥 물에 탄 커피 맛을 비교해 보고 또, 우유를 육각수기에 통과 한 것과 통과 안한 것을 비교해 먹어 보았습니다. 너무 신기하여 기계를 설치하였습니다.

하루에 2리터 정도의 물을 음용하면 좋다는 말에 따라 3일정도 먹으면서 머리 아픈 것을 잊어버렸습니다. 어느날 생각해 보니 두통도 사라졌고, 피곤함이 없어졌습니다.

지금은 아침에 식구들 밥상도 차리고 가벼운 몸으로 콧노래도 나왔습니다. 컨디션이 최상입니다.

처음 4~5일 정도 먹고, 조리해서 먹고, 샤워까지 하던 중 속이

메시꺼워서 자꾸 찬물을 먹어댔고 일주일 정도 후엔 내시경을 받아볼까도 생각했는데 두통은 없는데 속은 메시꺼리고 해서 아마 이것이 '내 몸에 생채반응이 일어난 것이 아닌가' 하고 생각이 들어서 한달정도 가보자 했는데 한 10일이 지난 후 그 증세가 없어져 잊어버리고 있었습니다.

그동안 두통으로 깊은 잠을 이룰 수 없었는데 지금은 바닥에 머리가 닫기만 하면 깊은 잠을 잘 수가 있어 아침에 일어나도 기분이 상쾌합니다.

가슴이 아프고 호흡곤란으로 청심환도 쌓아놓고 먹었는데 5월 20일 육각수기를 설치 후 내 생명이 다시 살아난 기분입니다.

정말 신기하다는 생각이 들고 물에 의해 이렇게 몸의 상태가 변화는 것에 놀랐습니다. 정말 고마운 물 '육각수 물'에 깊이 감사드립니다.

【체험사례 · 13】

드디어 아토피에서 졸업하다

이 선 희
(대전시 동구 가양동)

나는 6살된 딸 아이를 키우는 엄마다. 이 좋은 혜택을 우리만 누릴 수 없어 아토피로 고통받는 여러 다른 분들을 위해 이 글을 띄운다.

우리 예진이는 생후 6개월부터 아토피 증상이 나타내기 시작했고, 아토피에 대해 아무것도 몰랐던 나는 병원에서 하라는 대로만 했다.

병원에서 처방해 준 연고는 금방 효과가 있어 처음엔 아토피가 싹 사라지는 듯 했지만, 이내 다시 더 심하게 올라왔고 연고 쓰는 양이 점점 늘어만 갔다.

내성이 생기는 듯한 이 양상에 나는 몹시 불안했다. 그러나 밤새 잠 못자고 피가 나도록 긁어대는 아이를 보면 연고를 안 발라 줄 수도 없었다.

3살이 넘어서자 병원에서는 먹는 '체질개선제'를 처방해 주었다. 약을 착실하게 복용하던 중 약이 떨어져 3일 정도 못 먹이자, 예진이는 전에 괜찮았던 곳까지 아토피 증상이 다시 심하게 나타났다.

나는 너무 당황했고, 무서울 지경이었다. 도대체 이 약들이 무엇인가? 겉은 낫는 듯 했지만, 속은 더 나빠지고 있는 건 아닐까?

나는 예진이가 4살 되던 해에 단단히 결심하고, 연고와 먹는 약을 완전히 중단했다. 그 후 6개월간의 고통은 이루 말할 수 없다. 예진이는 손바닥, 발바닥을 제외한 모든 몸에(두피에 까지) 아토피 증상이 심하게 생겼고, 가끔 심한 두드러기로 응급실을 찾아야 했다. 우리는 밤마다 잠을 설치고 많이 울었다.

나는 면역력을 높이고 체질 개선을 위한 방법을 모색하던 중에 천연 건강식품 영양제와 알레르기 방지 침구를 사용하기 시작했는데, 아토피 증상의 50%가 나아 보였다.

그 후 1년이 지나면서 증상이 많이 완화되었고, 처음 우리 딸을 본 사람은 아토피인 것을 잘 알아보지 못할 정도로 나아갔다. 그러나 피부가 접히는 부분의 아토피 증상들은 호전되지 않고 계속 악순환을 반복하면서 딸을 끊임없이 괴롭혔다. 더 큰 문제는 아토피로 인해 생기는 산만하고 예민한 성격형성과 발육부진 등의 파급효과였다.

나이가 되어 유치원에 다니게 되자, 그 동안의 공든 탑이 무너져 내리듯 아토피 증상이 다시 심해지기 시작했다. 유치원의 카펫, 봉제인형, 음식 등이 원인이 되어 석달을 넘기지 못하고 쉬어야 했다.

그 후, 6살이 되어 훨씬 건강해졌음에도 불구하고 집밖의 환경에 노출되면 여전히 아토피가 심해졌다.

좋다면 안 해본 것이 없고 애썼지만, 그 끝이 보이지 않아 무척 지치고 고통스러웠다. 체질 개선에 대한 회의와 좌절감 속에서 앞으로 초등학교 생활에 대한 걱정이 밀물처럼 밀려들었다.

이런 상황 가운데 알게 된 것이 육각수였다. 우리 몸의 70%가 물이라는 것을 실감하며 살고 있다. 물이 이토록 중요한 것인지 이제야 진짜 알게 되었다. 한달 동안 육각수를 먹고 뿌리고 씻으면서 딸아이는 몰라보게 아토피 증상이 사라져 갔다.

육각수는 흡수율이 아주 좋아서 가려움증이 많이 없어졌고, 숙면을 취하기 시작했으며 무엇보다 성격이 더 명랑하고 여유로워졌다. 이 얼마나 감사한 일인지!

지금은 쉬었던 유치원도 다시 다니기 시작했고, 아토피가 아주 심했던 부분에만 약간의 증상이 있을 뿐 피부가 깨끗해졌다. 아토피가 지구 오염과 공해로 인해 일어나는 병인만큼, 옛날 자연그대로의 살아있는 물을 공급받는 것만큼 좋은 방법이 있을까?

육각수를 만난 것이 우리 뿐만 아니라, 다른 여러분에게도 큰 복이 되기를 바란다.

〈참고문헌〉

- 민헌기 편저 : <임상내분비학> 초판, 고려의학, 1990
- 김진복외 공저 : <최신외과학> 중판, 일조각, 1990
- 안영기 편저 : <經穴學叢書> 중판, 성보사, 1991
- 홍창의 편저 : <소아과학> 4판, 대한교과서, 1989
- 대한피부과학회 편저 : <피부과학> 2판, 여문각, 1981
- 김규문 : <치아관리> 개정1판, 지성출판사, 1992
- 대한정형외과학회 편저 : <정형외과학> 초판, 최신의학사, 1982
- 정영태 : <인체생리학> 2판, 청구문화사, 1992
- 의학교육연수원 편저 : <가정의학> 3판, 서울대학교출판부, 1988
- 강석영 편저 : <임상알레르기학> 초판, 여문각, 1984
- 윤동환, 한대일 공저 : <신비로운 磁化水> 5판, 해동출판사, 1993
- 김윤세 편저 : <죽염요법> 4판, 광제원, 1993
- Epstein, E : Hand dermatitis, practical management and current con-cepts, J. Am. Acad. Dermatol. 10 ; 395-424, 1984.
- Harrison : Principle of Internal Medicime, 12th ed., New York,
- MIMS Korea : KIMS, Yol 7, No2, Seoul, 1990.
- Chan, J.C.M., : Disorder of Mineral, Water and Acld-Base Metabolism
- Perlcharz, p.B : Symposium on Nutrition. Ped. Clin. North Amer. 32 : (2), philadelphia, B. Saunders, co., 1985.
- Thompson WG : The Irritable Bowel, Gut 25 : 305, 1984. An extensive review with 112references.
- Sleisenger MH, Fordtran Js : Gastrointestinal disease. 4th ed.,
- Cherniack, RM : Current Therapy of Respiratory Disease. Toronto, B.C.
- 中川一箸 : <磁氣治療健康法> 實業之日本社, 1991

부록

자화수-각종 신문보도 자료

임 상 시 험 판 정

1. 임상시험 목적 및 임상기간

목 적 : 자화수기(Clean-water 101)의 임상적 효과를 판정하기 위하여 본 시험을 실시하였음.

임상기간 : 2000. 6. 1 - 7. 19 (7주간)

2. 피시험자의 선정기준 및 선정방법

울산광역시에 거주하는 사람중에 무작위로 선정함.

3. 병용요법 유무

병용요법은 없었음.

4. 관찰종목 및 검사방법

설문지를 통하여 변비, 복통, 소화불량, 만성피로감, 요통 / 하지통, 사지저림, 피부윤택부족, 무좀, 습진, 두통, 구갈, 불면, 비만 등의 각증상이 있는 환자에게 자화수기(Clean-water 101)을 통과한 수질을 음료 및 세용으로 사용하게 한 후의 자각증상의 변화를 조사하였다.

5. 평가기준 및 평가방법

증상이 90%이상 소실된 경우 : 매우호전
증상이 80%이상 소실된 경우 : 호 전
증상이 70%이상 소실된 경우 : 양 호
증상이 70%미만 소실된 경우 : 무 효

6. 임상시험결과

* 증상별 호전도

증 상	매우호전	호 전	양 호	무 효	합 계	유효율
변비, 복통 소화불량	4	9	10	2	25	92.00%
만성 피로감, 요통/하지통, 사지저림	4	8	9	3	25	82.50%
피부윤택부족 무좀, 습진	5	10	9	4	29	89.71%

1986년 4월 4일(金요일) 제243호

6 생활과학 스포츠서울

지병도 고쳐주고 식물성장도 촉진하고

[illegible]

美 日 中共등 각국서 복용 붐

[illegible]

[illegible]

수도꼭지에 특수장치, 磁氣흐르는 물 마시게
당뇨, 신경통등 효과…한국선 꽃재배에 이용도

[illegible]

1986年10月31日 金曜日 中央日報

癌 "물로도 고칠수 있게된다"

한국과학기술원 全茂植교수 새 理論제시

암세포주변의 물 구조 바꾸어 성장 정지시키거나 억제·縮小

日서 동물실험통해 立證…세계각국 초청강연 잇따라

[illegible]

주간불산　　1988년2월28일　(7)

특집

磁化水는 당뇨·동맥경화에 좋아

동의대 李相明교수「磁氣化된 물의 효능」학회에 발표

자석을 이용한 자화수(磁化水)가 질병치료 동식물성장 정화 멸균작용 심지어 공기정화 등에 널리 쓰이고 있다는 사실이 국내 학계에 발표돼 관심을 모으고 있다. 자화수는 물을 자기(磁氣)처리한 것. 이미 한방에서도 질병치유에 대단한 몫을 차지하고 있으나 그 원리가 과학적으로 규명되지 않았었다. 그러나 최근 들어 각국에서 자화수에 대한 본격적인 연구가 진행, 당뇨 동맥경화 성장촉진 등에 직접 영향을 끼친다는 임상사례와 함께 공업용으로도 널리 사용하고 있는 추세다.

[illegible]

[illegible]

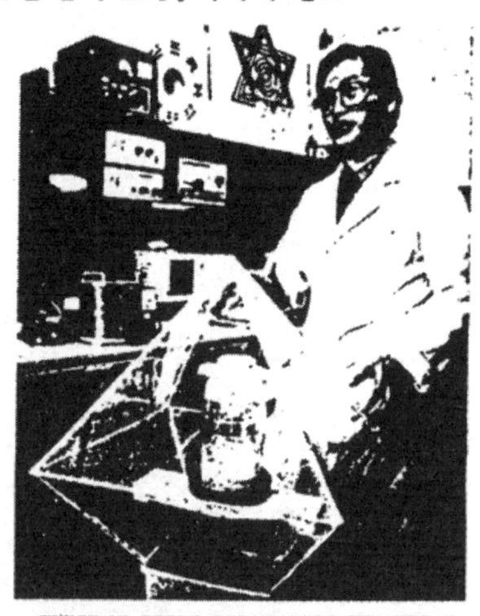

[illegible]

산소농도·살균효과 증가·빠른 결빙속도 특징

쌀 밀 수확늘고 가축성장 촉진

美·蘇·中共·日, 인체·농공업에 많이 써

[illegible]

[illegible]

[illegible]

[illegible]

좋은 食水는 癌·성인병도 퇴치

6角水를 마시자

「물環境說」창시 물博士 全武植교수에 듣는다

○全武植박사

「구조화된 물 즉 六角水는 오늘날 인류를 공포로 몰아넣고 있는 癌·당뇨병 그리고 AIDS까지 예방과 치료를 가능케 합니다」

우리가 매일 2~3ℓ씩 마시는 물을 이용, 각종 현대질병에 대한 예방과 치료 이론을 체계화한 「물環境說」을 창시한 세계적인 食水학자 全武植박사(한국과학기술원 화학과 교수·美유타大 초빙교수)는 이같이 밝힌다.

최근 수돗물의 오염상태가 언론에 보도돼 사회문제가 되면서 어느때보다 물에 대한 국민의 관심이 높아진 이때, 물박사 全교수를 만나 「물과 健康」의 관계를 알아보기로 한다.

—「健康水」라는 六角水의 정체는.

▲우리가 마시는 물의 화학적 구조는 6각형 고리구조, 5각형 고리구조, 5개의 사슬구조등 모두 세가지 형태를 갖고있다. 이중 질병을 예방, 치료할 수 있는 것은 6각형 고리구조를 형성하고 있는 물이다.

—실생활에서 六角水를 마실수 있는 효과적인 방법은.

▲한마디로 차가운 냉각수를 마시는 것이다. 수온 10℃의 물에서는 6각형 고리구조가 불과 3~4%에 불과하나 0℃에서는 10%, 과냉각 상태인 영하 30~40℃에서는 거의 대부분이 6각형 고리구조를 하고있다.

다시말해 몸에 좋은 6각형 고리구조의 물은 수온이 낮을수록 많고, 수온이 높을수록 6각형고리구조가 적고 5각형 고리구조가 많은 것으로

生水 며칠지나면 食水로 不適

개봉후 5일째엔 細菌 득실

유통기간 제한—容器검사등 대책시급

서울大 金相鍾교수팀 7개사제품 조사

수도물파동이후 生水를 구입해 며칠동안 보관하면서 마시는 가정이 늘고 있으나 이들 생수의 대부분이 가정에 배달된 후 시일이 지남에 따라 일반세균이 급격히 증가, 보사부 허용기준치를 훨씬 초과해 음료수로서 부적합한 것으로 드러났다.

이같은 연구결과는 서울大 金相鍾교수(38)팀이 지난달 12일부터 22일까지 시중에 판매되고 있는 「설악」「다이아몬드」「크리스탈」「풀무원」「제주」「석수」「산수」등 7개사의 생수제품을 수거해 1주일동안 보관하면서 24시간마다 수질의 변화를 조사한 결과, 「산수」를 제외한 6개사 생수가 개봉후 시일이 지남에 따라 일반세균수가 급격히 증가해 개봉 5일째엔 보사부기준치인 ㎖당 1백마리를 훨씬 넘는 1백30~7천3백마리에 이르는 것으로 나타났다.

또 「석수」「산수」「제주」등 3개사 제품을 제외한 「설악」등 4개사제품은 배달될 때부터 일반세균수가 허용기준치인 ㎖당 1백마리를 초과했고 특히 「설악」생수는 2천마리나 검출돼 식수로서 부적합한 것으로 밝혀졌다. 생수의 변화는 일반가정에서 대부분 20ℓ 용기에 담아온 생수를 배달받아 5~6일씩 보관하면서 마시는 과정에서 포장용기의 불결과 유통기간의 장기화에 따라 세균이 급속도로 증가하는 것으로 드러나 생수의 유통기간 제한과 용기검사등이 시급한 것으로 드러났다.

【世界日報 90. 4. 15】

유명社 生水도 細菌'우글'

최고 基準値80배까지

대부분 아파트·음식점등 配達… 보건"구멍"

서울大 金相鍾교수팀 7개社제품 조사

일반가정에 배달되는 유명생수에서 기준치의 최고 80배에 달하는 일반세균과 대장균이 검출돼 충격을 주고 있다.

서울대미생물학과 金相鍾교수팀은 14일 시중에서 유통되고 있는 「크리스탈」「설악」「다이아몬드」「풀무원샘물」「제주」「석수」「산수」등 7개 배달생수에 대해 미생물검출실험을 한 결과 식수의 일반세균허용기준치인 cc당 1백마리를 넘어선 생수가 크리스탈(2백25) 설악(2천) 다이아몬드(5백80) 풀무원(2백41)등 4개소나 됐다고 밝혔다.

특히 이중 설악생수는 개봉이틀째에 세균수가 허용기준치의 80배인 8천마리로 늘어나 특히 오염이 심각한 것으로 지적됐다.

일반세균이 기준치이하인 제주 석수 산수의 경우는 이산화탄소가 주입돼 세균증식을 억제한 것으로 분석됐다.

또 이들 7개생수에 대해 대장균검출실험을 실시한 결과 다이아몬드 풀무원 제주 산수등 4개 생수에서 대장균이 검출돼 50cc의 물에서 한마리도 검출돼서는 안되는 허용기준치에 비춰 보건위생상 큰 문제점으로 드러났다.

金교수는 「가정에 배달되는 대부분의 생수에서 일반세균이나 대장균이 검출된 것은 생수의 원수인 지하수가 오염돼 있을 가능성이 높다는 반증」이라며 「이밖에 포장용기의 불결함, 정수장치의 미비, 유통기간의 장기화에 따른 오염가능성도 배제할 수 없다」고 말했다.

현재 생수의 시판은 주한외국인용, 수출용으로만 허용되고 있으나 지난해 수도물의 중금속오염파동 이후 대규모아파트단지 고급주택가 유흥음식점등에서 배달생수를 이용하는 사례가 급증했으며 생수업체수도 허가된 14개소보다 훨씬 많은 2백여개업체가 난립하고있는 것으로 알려져 무허가업체생수의 오염은 이보다 훨씬 심각할 것으로 추정된다.

【國民日報 90. 4. 14】

저자 약력

1977 진주고등학교 졸업
1984 한양대학교 의과대학 졸업
1984 대한민국 의사면허 취득
1988 한양대병원 수련의 과정 수료
1991 서울아산병원 가정의학과 전공의 과정
1991 가정의학과 전문의 자격 취득
1993 진주 성바오로병원장 취임
1993 '환경과 의학' 연구회 회장

2018년 10월 15일 중판발행
발행처 : 서음미디어
등록 : 제7-0851
서울시 동대문구 난계로 28길 69-4
Tel : (02) 2253-5292
FAX : (02) 2253-5295

편저자 : 강병주
발행인 : 이관희
편집 : 은종기획
표지디자인 : 카오스

ISBN 89-85223-27-5
Printed in Korea